社長100人博士化計画

西村訓弘

プロローグ

コロナが気づかせてくれたこと

二〇二〇年三月一〇日、私と妻を乗せたベトナム航空機は、カンボジアのプノンペンを離陸。ベトナムのハノイで飛行機を乗り継ぎ、帰国する予定だったが、新型コロナウイルス感染症の感染者が広がり始めており、日本への便が飛ばなくなることを心配した人たちで深夜の空港は騒然としていた。プノンペン大学の日本語学科長、レスミー夫婦の案内で講演旅行を行い、帰国する際のことである。

同年一月一五日、日本で最初の新型コロナ陽性者が確認されたときは、二ヵ月足らずでまさかこれほどの事態になるとは想像もしなかったが、幾度か感染拡大の波を繰り返し、本稿を執筆中の二〇二一年秋に至っても、まだ終息の時期が見通せずにいる。以前は毎年数回は海外で講演をしていたが、コロナで状況は一変。カンボジアから帰国して以降、一度も渡航できていない。

コロナ禍は大学の在り方も大きく変えた。まず卒業式、入学式が中止になり、授業はすべてオンラインになった。講義資料をすべて作り直し、講義を録画して、一度も使っていなかった大学の学習支援サービス（Moodle）に保存し、学生たちがオンデマンド（Moodleに保存した講義ビデオを聴講する方式）で学べるようにした。

学生たちが、自宅からインターネットを介して受講するリモート授業が当たり前になり、ゼミもZoom（Web会議システム）で行われるように。留学生は入国できなくなり、講義の聴講と研究指導も、ほぼオンラインとなった。私が教えている学生には、一度も大学に来ていないベルギーと中国在住の、二年次の大学院生がいる。

教育方法は一変したが、新しい方式はコロナ禍以前からあった技術、仕組みで、仕方なく使ってみたら意外と使える。社会人の学生が多い研究室ゼミは、以前は出席率が五〇パーセントを超えるのは稀だったが、Zoomに換えると職場からの移動が不要となり、ほぼ全員が出席するようになった。オンライン・ゼミに慣れてくると、学生ひとり一人の表情を見ながら、以前よりも深い議論ができるようになった。本来は、もっと早くにこうすべきだったのかもしれない。

どんなに技術が進んでも、使う側の意識が変わらなければ、これまで続けてきた方法は変わらない。教室に学生を集め、教員が一方的に話す講義が当たり前と思っていたが、自宅でパソコン画面に向かう学生にだって講義はできる。昼間に時間が取れない社会人学生も、オンデマンド形式なら時間に縛られず受講できる。講義動画で自習した学生たちと

Zoomを介して議論すると、彼らの理解が格段に進むことがわかった。

　コロナは、こういったことに気づかせてくれた。


　コロナ禍は、飲食業と観光業に大きな打撃を与えた。知り合いのことを話そう。

　橋本純さんは、三重県南部の南伊勢町でマダイ養殖を生業とする漁師である。大学を出てから奔放な生き方をし、世界を放浪した後はハワイでイルカと暮らしていたそうだ。その後、実家に帰って漁業を継いだ。橋本さんの故郷・阿曽《あそ》浦は漁師町だが、彼が戻った頃にはほとんどが漁業を諦め、近所は空き家だらけ。そんな状況にも関わらず、養殖業の傍ら学生のインターンシップを受け入れたり、漁師体験ができる民泊を始めたりして、彼は注目される漁師になった。

　それが二〇二〇年三月二五日、「感染爆発重大局面」と記したボードを顔の横に掲げた、小池百合子東京都知事の記者会見翌日から一変する。

　仲買からの養殖マダイの注文が止まったのだ。この時点で、三重県にはまだ一人の感染者も出ていなかったが、会見がテレビで流されると、状況は東京と同じになった。伊勢神宮の参拝者は数えるほどとなり、大企業の県内支店は一斉に接待禁止となって、街から人が消えた。宴席に欠かせないマダイは行き場を失った。

マダイは海に浮かべた生簀で二年ほどかけて生育し、順次出荷される。出荷が止まると、生簀で成魚を飼い続けねばならない。生簀が空かないと、二年後に出荷する稚魚を入れられないのだ。窮地に立たされた橋本さんは、以前に聞いた話を思い出し、奇策に打って出る。

「養殖マダイを個人宅に直接送りたい」

東京にあるベンチャー企業のポケットマルシェに相談すると、すぐに個別発送するための資材をかき集めた。マルシェから入ってくる個人からの注文に応じて、発泡スチロール容器に氷詰めにしたマダイを、宅配便業者が毎日集荷に来るようになり、働き方が一変した。「５６７０（コロナゼロ）プロジェクト」と銘打ち、仲買を通した出荷から、個人客に直接送る方式に変えた橋本さんは、五、六七〇尾のマダイを見事数ヵ月で売り切った。そして彼の手元には、四千人を超える顧客リストが残った。直接連絡が取れる顧客への販売に大きな可能性を感じた橋本さんは、すでに次なる手を打っている。

伊勢市で四〇〇年以上続く老舗餅店、有限会社二軒茶屋餅角屋本店の鈴木成宗さんは、伊勢角屋麦酒のブランド名でクラフトビール事業を立ち上げ、十年以上かけた事業がいよいよ本格成長するというタイミングでコロナ禍に見舞われた。新工場を建て、東京、大阪での拡販攻勢をかけていた矢先の出来事だ。橋本さんと同じく注文が三月末に止まったが、醸造タンクには出荷直前のクラフトビールが大量に保管されている。このままでは廃棄するしかない。資金繰りは大丈夫か、と銀行からの問い合わせもあった。

「助けてください！」鈴木さんはＳＮＳでなりふり構わず叫んだ。

彼は、自身の取り組みを書籍として出版するなど業界では名の知れた人で、周囲からの信望も厚い。切なる叫びは、たちまち大きな反響を呼んだ。翌日から、自身も半ば忘れていたインターネット・ストアからの注文が殺到したのである。社員総出でも応えられないほどの忙しさとなり、大いに感謝したが、反省もしたと後に語ってくれた。突貫で体制を整えたものの、Ｅコマース（電子商取引）への対応の不備が露呈したのだ。

「この方式なら、伊勢から日本中、世界中に直接売ることができる」鈴木さんはＥコマースに大きな手ごたえを感じている。

コロナ禍とは何か。感染者数が増え、重症者、亡くなられた方の数も膨大になり、社会全体が止まってしまった。そう捉える人々がいる一方で、「準備はできていたが動いていなかった歯車」を動かすきっかけにした人もいる。橋本さん、鈴木さんに限らず、私の周りには後者が多い。コロナ禍により、「本来あるべき姿」に一気に社会は移行する、私はそんな予感を感じている。田舎が都会に負っていたハンディキャップも、解消されるに違いないと確信している。

本書では、「コロナ後の未来」について一つの提言をする。衰退したと思われている地方から、理想的な未来像を示したい。それを語る前に、まずはコロナ禍に襲われるずっと前から始まっていた、地方の片隅での取り組みを紹介しよう。橋本さん、鈴木さんには共通項がある。衰退した事業を引き継ぎ、再生させたこともそうだが、二人とも社長業の傍ら大学院で学んでいる。社会人、それも社長が大学院で学び、互いに切磋琢磨することで覚醒していく。こんな動きが伊勢神宮の近くで静かに始まっているのだ。

１００人の社長が博士になったら、地方社会はどのように変わるのか。私は十年以上前に構想し、三重大学で試みてきた。

「末は博士か、大臣か」は死語となって久しいが、かつて子の出世を願う親は皆そう思ったはずだ。博士号は、大学教授など学者の称号と思われがちだが、そうではない。

アメリカでは、博士号を持つ人たちが産業界で活躍するのが一般的であり、かく言う私も博士号を持つバイオベンチャー企業の社長として、海外企業とビジネスを行っていた。むしろ、技術系ベンチャー企業の社長が博士号を持っていないと、信用が得られない。

本書では、「地域企業の社長１００人を博士に」する取り組みについて、なぜ私がそのような発想に至ったのか、１００人の社長が博士になったら、地域社会はどのように変わるのかを述べたい。その底流には「地域イノベーション」という概念がある。今や一般的に使用される言葉だが、その定義は明確ではない。

私は三重大学の、日本初となる「地域イノベーション学研究科」大学院の創設に携わった。現在も同科教授職に就く者として、自らの経験を基に考えた地域イノベーションの本質を明示したいと思う。

社長１００人
博士化計画

目次

第二章　バイオ・ベンチャーのトップからアカデミズム畑へ

第三章 なぜ人々は田舎に住めなくなったのか

第四章 社長100人博士化計画始動

第五章　博士社長たちと拓く新しい地域社会

第一章

私の原点

帰郷

九十九折の能見坂《のみざか》峠を直線的に貫く二つのトンネルを抜けると、陽光に照らされた複雑な海岸線がジオラマのように見える。三重県南伊勢町の実家へ帰省するとき、この景色に迎えられるといつも安堵する。千葉県我孫子《あびこ》市のマンションから、積めるだけの荷物をＲＶ車に載せ、妻とともに帰省したこの日（二〇〇四年七月二七日）は特にそう感じた。

帰省といっても、いつもとは違う。経営していた札幌のベンチャー企業を離れ、一からやり直そうと故郷へ引き籠るのだ。実家に着くと、いつもと変わらず両親と兄、ペットのラヴィが迎えてくれた。都会にあこがれ、華やかなキャリアを目指し、好奇心の赴くまま外の世界を駆け抜けたが、人生半ばで振出しに戻ったわけだ。

中学卒業とともに田舎を離れた私は、伊勢市の高校から県外の大学へ進み、神戸、つくば、ニューヨーク、東京、札幌などで働いた。田舎にはお盆や正月に帰るくらいで、帰省の折には地元に残った同級生たちとも交流したが、彼らがどのような暮らしをしているのかは詳しく知らなかった。

故郷の南伊勢町は、三重県南勢部の熊野灘沿岸に位置し、降雨量も日照量も多く、冬に氷が張るとニュースになるほど温暖で、大台ヶ原山系を遥かに望む里山麓の狭い平地に人々が住み着いたのは縄文時代に遡るとも言われ、実家もそんなところにある。奥山を水源とする川が中央を流れ、両岸に一五〇戸ほどの家々が並ぶ集落では、それぞれの家族構成も生業もお互いが知っていた。夕方になると、お風呂を沸かす煙があちこちから立ち上る、日本の農村の原風景のような場所で私は育った。

実家に戻ってからは毎朝、犬にせがまれて散歩に出かけた。昔のままの集落を三〇分ほどかけてゆっくり散策する。小さい頃、友達と遊び歩いていた道が、こんなに狭かったっけと思いながら。家並みを抜けると、水田が海側の国道から谷奥まで続いている。農作業する人、行きかう人はまばらで、たまに会う顔見知りの人たちは、みな年老いていた。

自分の田んぼを耕す家は数軒になり、私が小学生の頃スクールバスの運転士だったおじさんが稲作を請け負っていた。二〇年前と風景は変わらないが、人が減り、高齢化が進み、建物は一様に古びた。昔あった青年団も消防団も無くなり、豊作を願う浅間祭（地元では「せんげさん」と呼ぶ）から子供たちの姿が消え、昔から居た人たちが数を減らしながら住み続けている。そんな姿に故郷はなり果てていた。

なぜこうなってしまったのだろうという疑問と、こういった状況に何もできていない自分への歯がゆさを感じながら、毎日欠かさず犬と散歩していた。

私が今日の職を得て、地域イノベーションという考え方を広めるに至ったのは、生まれ育った環境に負うところが大きい。本書の核心に迫る前に、退屈かもしれないが、しばしバイオグラフィにお付き合いいただきたい。高度経済成長期を経て、地方集落がどのようになったのか、本書でお伝えしたいことの重要な予備知識になるからだ。

中学卒の両親のもとで

私は一九六五年三月、三重県で最も過疎化と高齢化が進む町のひとつ、度会《わたらい》郡南伊勢町（旧南島町）の東宮《とうぐう》という農村集落で生まれ育った。一つ年上の兄との二人兄弟である。

先祖は紀州藩の武家だと父は語っていたが、定かではない。江戸から明治へと時代が変わる頃に、和歌山県の新宮あたりから現在の場所に土地を譲り受けて移住し、父の代までは農業を営みながら住み続けてきた。

太平洋戦争に出征した祖父がサイパン島で戦死したため、終戦の時にまだ小学生であった父は、一家の主として母親と妹二人、弟一人を支え生き抜いた。叔母の話では、気は小さいが頭の良い子供だったそうだが、学校に通いながら家長としての役割をこなすのは並の苦労ではなかったろう。小学校高学年のころ、村の出合い作業に出てこない父を近所の人が呼びに来ると、納屋に積まれた藁に隠れていたこともあったらしい。

本当はもっと勉強して、やりたい仕事もあったのだろうが、中学校を出ると家長として稲作、キュウリ栽培、乳牛の飼育など、時流に合わせたいろいろな農業を行うことで必死に家族を守り続けた。父はとても温和な性格で、豊かな知恵を生み出す人でもあった。

「東宮川（集落を縦断する幅10ｍくらいの川）に蓋をして公園を作り、子供たちの遊び場にしよや」などと時おり突拍子もないことを言い出すので、「あんたは、いつもできもせん大きなことばかり言う」と母は呆れていた。

母にもきょうだいが多かった。能見坂峠を越えた北隣、度会町中村の典型的な百姓家で生まれ育った母は、中学校卒業と同時に伊勢市の紡績工場へ働きに出ている。

両親とも中学校しか出ていないので、高校進学を考える際、「高校から先のことは分からへんで、自分で決めない（なさい）」と言われた。「金は出すが、口は出さない」と。この言葉を、今でも鮮明に覚えている。長じてからの私は何度も人生の岐路に立たされたが、進むべき道を自分で決める習慣が早くからついたのは、二人のおかげかもしれない。

父は常に何かを考えている人で、子供の頃、「お父さんはいつも世の中のことを考えている。訓弘《のりひろ》も考えるように」と言われてきた。

私の名は曽祖父がつけてくれた。彼は識者として周囲から一目置かれていたようで、父からの命名依頼に、「訓《おし》え広める人」になるようにと「訓広」を考えてくれたそうだが、父は「広」を「弘」に替えて「訓弘」とした。字の座りが悪いから、といった理由を聞いた気もする。私の名を誰かに伝える時、いつも「教訓の訓」に「弘法大師の弘」と説明していたから、弘法大師の一文字を授けたかったのかもしれない。父が他界した今となっては確かめようもないが。大学教授という職を得たのだから、曽祖父は本望だろう。

名前はともかく、私の素養の源流は、早くから自分の力に頼るしかなかった両親の生きざまにあると思う。

メガネを跨ぐな

祖父が戦死したため、女手ひとつで四人の子供を育てた祖母は、還暦を迎えるとすぐに心臓疾患で亡くなった。

祖母からも、いくつかの教えを受けた。「眼鏡を跨いだらいかん」「櫛を拾ってきたらいかん」は今でも憶えている。眼鏡は高価で無くすと困るものだから、それを跨ぐのはモノを大切にしない行為で、櫛を拾うのは、すなわち苦死を持ち帰ることになると。古くから質素に暮らしを紡いできた田舎の教えと験《げん》担ぎである。

わが家の天井は煤で真っ黒だった。築百年超の家を移築して百年経っていると祖母は言っていた。玄関は四畳半ほどの土間で、上部は吹き抜け。天井裏に昔は藁を保管していたようだ。母屋の隣には納屋があり、戦時中は疎開してきた親戚が住んでいたらしいが、普段は蚕が飼われていたようで、壁には蚕の飼育に関する覚え書きや値段表が貼ってあった。

西村家は、集落の中では農地が大きく、住まいの敷地も広かった。兄や従弟たちと野球の外野フライを捕る練習ができるほどで、子供の肩ではボールを投げても端まで届かなかった。敷地の半分は畑で、祖母はそこでいろんな作物を作っていた。納屋にはいつも玉ねぎがぶら下がっており、軒下のもみ殻を詰め込んだ室《むろ》にはサツマイモがたくさん入っていた。ラッキョウは横に寝かしたツボで漬け、お茶も味噌も家で作っていた。ニンニクも育てていて、小さい頃は体が丈夫になるようにと、炒ったのをよく食べさせられた。

祖母は、歩いて三〇分ほどの里山「ないくさん」にも畑を持っていて、道具を入れた乳母車とともに、幼い私もよく付いて行った。「ないくさん」とは内宮（伊勢神宮）にちなむらしく、その昔、倭姫命《やまとひめのみこと》が天照大御神《あまてらすおおみかみ》の鎮座地を探して諸国を巡っていた折に、この地も候補に挙がっていたとか。残念ながら東宮川が少し離れていたので、伊勢に神宮を持っていかれたと、わが集落ではまことしやかに言い伝えられている。

学校から帰って家にいると、漁師の親戚が勝手に上がってきて、冷蔵庫に魚を入れていった。採れた野菜をおすそ分けすると隣の漁村、奈屋《なや》浦の親戚がお返しに魚を持ってくる。

これが当たり前だったので、家には鍵など掛けられたことがない。

食卓には季節ごとに魚と野菜が入れ替わり、旬の地場食材を使った田舎料理を、またかと少しうんざりしながら食べていた。今にして思えば、新鮮なカツオ、ブリ、マグロ、アジ、イカ、タコ、ハマチ、赤貝、イソモン（小さな巻貝）が当たり前のおかずであったとは、何とも贅沢だ。中学校を卒業する一九八〇年頃まで、ほとんどの家庭の食材は、家で作っているか親戚や近所からもらったものが中心で、肉や調味料、加工食品など手に入らないものだけを、店で現金で買うような半自給的生活を送っていた。

旗振りの多門さん

下社《しもやしろ》多門さんは祖母の実家の主で、先祖代々の農家を継いでいた。兼業農家ゆえ、普段は公共事業の道路補修現場で交通整理をする、いわゆる〝旗振り〟をしていた。両親と車に乗っていて見かけると、「多門さん、今日はここで旗振りやっとんのや」と話したものだ。彼は自動車の運転免許を持っていなかったので、いつも黄色のヘルメットを被り、スーパーカブに跨って町内を走っていた。

百姓を継いだ多門さんは、日本経済が急速に成長する時代の変化に呑み込まれ、田んぼと畑と山で得られる収入では、もはや家族を養えなくなり、現金収入を得るため仕方なく旗振りに行くようになった。

私の田舎ではお盆の三日間、ご先祖様と初盆の霊を供養する盆踊りが催される。櫓にはのど自慢の歌い手が数人上り、太鼓の拍子に合わせて昔から伝わる詞を交代で歌い、帰省してきた人たちも混じって夜更けまで延々と踊る。多門さんは、若い頃から歌い手として一目置かれており、この時期になると輝いて見えた。伊勢音頭も十八番《おはこ》で、私の結婚式でも手拍子に合わせて披露してくれた。参列した会社の同僚たちは、多門さんの伊勢音頭が気に入ったらしく、それから数年は、宴会で誰かが真似をして歌ってくれた。それほど印象的な田舎おやじだった。

多門さんの生き様は、昔からの流儀で生きてきた田舎の百姓が、公共事業に頼るしかなくなったことを象徴していた。

南島は、かつては陸の孤島と称された辺鄙《へんぴ》なところ（陸続きなのに島がつく）で、古くからの生活様式が脈々と受け継がれてきた。江戸時代もかくやの日本の原風景のような集落で、質素に慎ましくその地の文化を守り、当たり前のように暮らしてきた人たちが、いつの間にか昔ながらの生き方ができなくなった。

多門さんのことを思い出すと、悲しさとともに悔しい気持ちが湧いてくる。

時流に翻弄される人たち

父方の叔父、下社芳夫さんも集落を代表する歌い手で、多趣味で鳴らした人だった。農家の次男として分家し、気風の良さと魅力的な話しっぷりから、集落では文化人と目されていた。盆踊りの歌い手であるのはもちろん、詩吟の名手でもあったが、彼もまた時代の流れに翻弄された一人だった。

父が生業を米や野菜づくりから酪農へと切り換えた一九七〇年頃、芳夫さんは民宿「ずいけん」を開業した。ずいけんとは、江戸時代中期に東宮から江戸に出て千石船の航路を開き、豪商となった地元の偉人、河村瑞賢に由来する。

叔母との家族経営だった民宿は、日本が高度成長の真っ只中にあった頃は、釣りや海水浴目当ての人がたくさん訪れ、活況を呈した。ところが人の波は、ほんの十年くらいで引いてしまう。民宿業に見切りをつけた芳夫さんは、生業をシイタケ栽培に切り替えた。

子供のサッカーができそうなほど広い民宿の敷地は、シイタケ栽培のほだ木で埋め尽くされ、私も大学生の頃は、帰省するとシイタケの菌打ちを手伝った。東京から地元に帰った息子の裕基君は、芳夫さんとシイタケ農家を営みながら詩人として活動していた。菌打ちの時は、いつもラジカセから松田聖子の歌声が聞こえ、のんびりした豊かな時間が流れていた。シイタケ栽培も良かった時期は短く、十年も経つと、芳夫さんは今度は炭焼きを始めた。里山に自生するウバメガシやクヌギを伐り出して自前の小屋で炭に焼き、四日市辺りの料亭に納めていた。

時代の変化に合わせて生業を変える。昔気質の家長は逞しくもあり、一方で目まぐるしい時代の変化に翻弄される落ち着かない人生を送った。その息子たちは家を継いだが、親の生き方と生業を継ぐことはなかった。

南島町は二〇〇五年、平成の大合併により東隣の南勢町と統合して南伊勢町となった。

南島の海岸線は複雑に入り組んだリアス式海岸で、入江ごとに港が点在して漁師町を形成し、ほんの一つ半島をまたいだ隣町でも方言が微妙に異なる、少数民族で構成される小国のような町だった。どの集落の男たちも気性が荒く、我が強く、集落どうしでいつも張り合っていた印象がある。

実家がある東宮は数少ない農村集落で、漁師町に比べると温厚な気性だったが、家を守る覚悟のできた人たちが集落をまとめており、子供の目に大人たちは怖い存在に映った。魚を詰める発泡スチロールの箱を保管する納屋に潜り込み、友達と遊んでいた時も、カブトムシの養殖場に入り込んだ時も、私たちを見つけたおじやん（成人男性）から、「コラーッ、何しとんのや」と怒鳴りつけられた。

南島町では、それぞれの集落が独立し、それぞれの文化、しきたりを守りながら集落社会を守り続けており、そこには気性は激しく頑固だが、物事にはきちんと筋を通す、実は人情味あふれる、おじやんやおばやん（成人女性）が暮らしていた。

原発を止めた町

文化や価値観がバラバラに見える集落どうしが、ガッチリ力を合わせたことがあった。私が生まれる前の一九六三年、南島町と、西に隣接する紀勢町（現大紀町）との境界にある芦浜《あしはま》に、原子力発電所を建設する計画が持ち上がった。早々と原発容認を打ち出した紀勢町に対し、普段は張り合っている南島の各集落が、海と地域を守るべく一枚岩となり、町ぐるみで国や電力会社に反原発運動を展開。三七年に及ぶ戦いの末、ついに計画を白紙撤回に追い込んだのである。

視察に訪れた政府関係者をバキュームカーの逆噴射で追い返したという武勇伝を、子供のころに聞かされていた（実際は船上からの放水）。これも本当かどうか知らないが、事件の後、地元の駐在さんがお上（国や県）と地元漁師たちの板挟みとなって困り果て、馴染みの漁師たちに、「頼むで一晩だけ留置所に入ってくれ」と泣きついて事を収めたという。

自分たちの家族や仲間、地域を守ることに熱くなり、個性的で面倒くさく、怖いけれど人間臭い人たちが住む町。これが陸の孤島と言われた南島町の姿である。

原発反対の中心となったのが芦浜に最も近い古和《こわ》浦で、「こわ」という響きには、子供心に怖いところという印象を持っていた。友達と自転車で国道二六〇号線を西に向かい、トンネルを潜って隣の集落へ冒険に行った時、遊んでいた同い年ぐらいの小学生に、「よそ者が来たぞー」と自転車で追いかけられ、本当に怖い思いをした思い出がある。古和浦よりずっと手前の、神前《かみさき》と河内《こうち》の子供らだったが、それより更に西の海辺にある（より怖そうな）集落が古和浦だった。

伊勢市の宇治山田高校に進学した時、神前と古和浦の中学校から来ている同級生が何人かいた。同じ南島町出身ということで仲良くなり、週末は伊勢から一時間以上かかるバスの中でいろんな話をしながら、よく南島まで一緒に帰った。我が強いのはお互い様だったが、彼らは決して怖い人ではなく、愉快な友達だった。

統廃合されていく学校

私が中学生となった一九八〇年前後、中学校は全国的に荒れていた。

母校「南島中学校」でも廊下をバイクで走るような同級生はいたし、教室から先生を締め出すなんてことも珍しくなかった。そんな具合だから、三重県下で一斉に行われた高校進学の目安となる共通テストの学校平均点は、下から二番目。最下位は尾鷲あたりの分校だったと記憶しているので、実質的に県の最下位だったと考えていい。学業成績はひどく、風紀も乱れ放題だったが、そこには一〇八人の元気な同級生がいた。

　南島中学校へは二つの小学校から生徒が集まってくる。私が卒業した南島小学校は一学年二クラスで、もう一つの阿曽浦小学校は一クラス。中学では三クラスになった。入学当初は同じ小学校から来た生徒ばかりで固まっていたが、一学期が終わる頃には打ち解け、お互いの地区へ遊びに行き合う仲の良い友達になった。

　同じような田舎町で育った子供たちは、すぐに仲間を見分ける。入学時には可愛らしかった子供たちは、学年が進行するにつれ、上級生の影響をモロに受けていった。男子の学生服はズボンの幅が太くなり、上着の裏地には派手な龍の刺繍が。女子のスカート丈は長くなり、気がつけば、いわゆる不良中心の集団へと変わっていた。

　不良と呼ばれる同級生たちにも案外人情味があり、筋を通すところがあった。私は標準仕様の学生服を着る、成績が良い少数派の生徒だったが、彼らにいじめられた記憶はない。小学校からの友達たちに守られていたこともあるが、案外筋を通すやつと見られていたのかもしれない。

その後の南島中学校は、徐々に大人しくなっていったようだが、私が卒業した五年後くらいには一クラス減って二クラスに。やがて一クラスとなり、さらに町内の三校が二校に統廃合され、南伊勢町に統合される頃には一校になった。私たちが通っていた頃が、南島町が元気だった最後なのだろう。

一九六〇年頃から南島町の人口は徐々に減り始め、六五年以降はそれが加速した。人口減少の影響が出生率に影響し始めたのが私たちの学年くらいからで、小学校を卒業した七七年を境に、不良とともに子供の数が急速に減っていった。町の様相は大きく変わろうとしていた。

長男さえ田舎に住めなくなった

卒業から三〇年後、同級生たちはどうなったのだろうか。私の田舎では、数え年の四二歳に、集落ごとに同級生が集まって厄落とし行事を行う。生まれ育った東宮には私を含めて七人の同級生男子がいた。女子も三人いたが、厄年は男女で異なる。還暦の人や、三三歳の女性たちも一緒に厄落としをするが、行事を仕切るのは本厄といわれる四二歳の男たちだ。厄払いの準備をしながら、同級生や田舎の人たちと交流する中で、農家の長男のほとんどが農業を専業では続けていないこと、多くが地元を離れてしまっていることを知った。

田舎の行事は、各家の長男が担うのが昔からの習慣だった。集落の維持に必要なことは出合い作業で行う。春ごろに奥山の水源近くの森林の手入れを行い、お盆の前には草刈りと用水路の清掃を行っていた。浅間祭と盆踊りは集落にある四つの地区が順番に担当し、その主役は長男たちだった。集落の男子は学校を出ると青年団に入り、二五歳になると消防団に入ることが決まりだった。こうやって集落をつないできたが、昭和が平成に変わったころから様相が変わった。青年団が無くなり、やがて消防団も形骸化した。祭りに参加する人々は一様に年を取り、徐々に数が減り、規模も縮小した。荒っぽいが元気だった人々は、もう田舎には残っていなかった。

なぜなのか？　本当に田舎はダメになったのか？　そんな疑問を強く抱くようになった頃、思いがけず三重大学との縁が結ばれた。

次章では、私がベンチャー企業の社長を経て三重大学教授になるまでのいきさつと、医学部の教授になって取り組んだ、「なぜ田舎には人々が住み続けられなくなったのか」を確かめる取り組みを紹介しつつ、人々が田舎に住めなくなった理由を考える。

第二章

バイオ・ベンチャーのトップから
アカデミズム畑へ

遠ざかる故郷

一九八〇年、私は伊勢市の宇治山田高校へ進学したが、南島中学から同校へ入学したのは一人だけだった。

当時、三重県の公立普通科高校の一部では、学校群と呼ばれる入試制度が導入されていた（一九七四〜九四）。地区で一番の進学校と二番目の学校で群を構成し、両校の学力が平均化するよう合格者を振り分け、総合的にレベルを引き上げようとする試みだ。北勢地区の四日市市に第一群、中勢地区の津市に第二群があり、南勢地区の伊勢市では、伊勢高校と宇治山田高校が第三群とされた。

本人の希望にかかわりなく合格者が振り分けられるので、南島中学から六名の生徒が第三群を受験し、全員合格したものの、私以外の五人は伊勢高校生となった。一抹の寂しさは覚えたものの、同学年に誰も知り合いがいない環境は、自分をリセットするのに却って好都合と考え、充実した高校生活を送ることができた。

入学試験の成績は、級長に選ばれるほど良かった（クラスで一番）らしいが、二年生の一学期には急降下。一年時の担任に呼び出され「何をしているの？」と諭された。後輩に借りた太いズボンを穿いて登校するようになり、部活動の吹奏楽と週末のボーリングにのめり込んでいったのが成績悪化の原因だった。

三年時には吹奏楽部の部長になった。伝統ある部だったが、一つ上の学年が県のコンクールで銅賞（最も低い評価）と惨敗したため、私たちの代での返り咲きを目指した。学業を疎かにしてまで打ち込んだおかげで、何とか銀賞へと持ち上げることができた。リーダーとして集団を率いる難しさと、本当の努力の意味を理解する経験ができたと思う。

バイオテクノロジーって何だ

高校二年時の進路調査で、担任から進学か就職かと問われ、よく考えていなかった私は、とりあえず進学と答えた。隣席の友達が志望校を金沢大学と書いていたので、金沢大学を志望しますと。それ以降は、進学に向けて真面目に取り組むようになり、大学の内容や偏差値を調べ、目標を茨城県の筑波大学に定めた。東京教育大学を母体として一〇年前に誕生した筑波大学は、新構想大学との触れ込みで、伝統校には無い新たな可能性を感じさせたからだ。

大学受験を考え始めた頃、講談社から創刊された『クォーク』という科学雑誌を購読していた。どの号だったか覚えていないが、それまで聞いたことのないバイオテクノロジー（生物工学）の特集が組まれていた。高校は理系クラスだったが、物理の数式がちっとも頭に入ってこなかったので、理科は生物を選択していた。消去法で生物を選んだが、少しずつ興味が湧いてきた頃にこの特集を読んだのが決定打となり、大学ではバイオテクノロジーを学ぼうと決めた。バイオに目覚めた高校生には、新構想大学で、生物化学工学が学べる筑波大学が眩しく思えた。しかも伊勢市に下宿していた私は、東京から四〇kmも離れた筑波大学を、勝手に都会の大学だと思っていた。

千葉県佐倉市に住んでいた叔父の車で入試会場の大学へ送ってもらった時、窓から見える広大な田園地帯に驚き、三重よりも田舎では？　志望先を誤ったかなと思った。合格発表を見るために再度訪れると、建物が先進的で未来都市のような雰囲気であることを再確認し、入学する決心をした。実は筑波大学しか受験しなかったので、入学する気持ちを固めるために発表を見に行ったのである。当初は私立大学の受験も考えたが、受かっても行かないと親に話し、受験料がもったいないからと、そのお金で当時流行っていたアイワのカセットボーイ（携帯カセットプレイヤー）を買ってもらった。

大学生になってからは、興味のない講義はカセットボーイで音楽を聴きながら、アルチュール・ランボーや中原中也の詩集を読んで過ごした。授業の後は、長期の休みに海外を放浪しようとバイトばかりしていた。放浪と言っても、バックパッカーでアジアの汚い街を歩き回るのではない。三年生になる春休みにはニュージーランド、卒業旅行はオーストラリアと、清潔で治安のいいオセアニアの先進国を優雅に巡った。

酵素リパーゼの研究

大学では、第二学群農林学類の生物応用科学を主専攻し、生物化学工学を学んだ。生物化学工学とは微生物を培養して物質生産を行うもので、筑波大学は、この領域では全国の大学でも有数の研究実績を挙げていた。バイトに明け暮れる学生ではあったが、三年生へ進級するときの主専攻の振り分けで、運よく一番人気の生物応用化学主専攻に進むことができた。

四年生になる直前、研究室を選ぶことになった。ほとんどの学生が、当時最先端の遺伝子工学を研究していた村上和雄教授の研究室を希望していたが、私は、生物化学工学では日本の権威、と先輩から教えてもらった高橋譲二教授の研究室を選んだ。生物応用化学主専攻では、このお二人が二大巨頭であった。

今だから白状すると、村上研は、大所帯で華々しい研究成果を挙げていたが、忙しくて休みがないという噂だったのに対して、高橋研は自由だと先輩に囁かれ、甘い誘いに乗ってしまったというのが真相だ。所属した高橋研究室には、私のほかに同級生の男子が三名おり、それぞれが大学院生の下で研究を行っていた。彼らは、当たり前のように大学院へ進学したが、私だけは就職の道を選んだ。

私の研究対象は、脂質を分解する酵素リパーゼだった。リパーゼは加水分解により、脂質を脂肪酸とグリセリンに分解する。専門的になるが、脂肪酸とグリセリンはエステル結合で結ばれており、リパーゼはそれを切断する。これが通常の作用だが、極端に水の少ない条件にすると、エステルを合成するといった逆の反応も起こす。面白そうなので「リパーゼによる逆反応の工学的な研究」を卒論のテーマとした。

秘密の実験

実験が楽しかったので、夜はバイトしつつも昼間に集中して実験を行い、高橋教授から与えられた、単純な材料を使ったリパーゼの逆反応系を、四年生の七月頃には仕上げてしまった。さあこれで後は卒論を書くだけ、と余裕綽々を決め込んでいたら、高橋先生から教授室に呼び出された。

高橋先生は、「ザ・教授」と呼ぶべきオーラを放つ人物で、東京に出向いて留守となる水曜日以外に行われる教授の研究室巡回では、大学院の先輩方を含め、学生たちはみな直立不動でお迎えし、研究の進捗状況を報告するのがルールだった。

そんな権威ある教授から、四年生が教授室に呼び出されることはめったにない。

「ある企業から、ある物質を預かった」

高橋先生は、「ある物質」の構造式を書いた書類を見せながら説明した後、こう言った。

「西村君が作ったリパーゼの逆反応系を使って、この物質でエステル結合ができるか試してみなさい」

四年生（大学院生でなく）に、企業と共同研究するトップシークレット（？）の実験をさせるのか。疑問に思ったが、断れるはずもない。

「先輩たちにも、この物質のことは話さないように。そうだな、もし聞かれたら、X酸と言いなさい。実験ノートにも、実名ではなくそう書くように」そう指示され、四年生の残りの期間はSF映画のような日々を研究室で過ごしながらX酸と格闘した。

夜はピザ屋でバイトして海外渡航費用をせっせと貯め、バイト先でもらってきた売れ残りのピザを、実験室で徹夜する先輩たちに届けてしばし雑談し、深夜にアパートに帰る。そんな毎日を過ごしていたら、あっという間に卒業となった。

「X酸って何だ」先輩たちから散々聞かれたが、最後まで口を割らなかった。X酸のエステル合成ができたかどうかも、ここでは触れないでおこう。

筑波大学での四年間は、ほぼ全員が寮生活を送る特異な環境ゆえ、生活を共にする良い仲間に恵まれ、バイトも含めて充実した日々を送ったが、独特な田舎暮らしには最後まで馴染めなかった。卒業後は就職して、一日も早く筑波を離れたかった。

どこか違う場所に住んでみたい、との気持ちも強かった。

製鋼会社のバイオ研究員になる

就職先には神戸製鋼所を選んだ。

当時は大企業の経営多角化が流行っており、鉄鋼不況の真っただ中にあった神戸製鋼所でも、華々しくなってきたバイオ分野の新規事業を開拓すべく、一九八六年に生物研究所を立ち上げていた。

鉄鋼を基幹とする企業で、バイオを学んだ学生を採るなら、配属先は生物研究所しかないだろう。就職はしても研究職には就きたかったので同社を選んだ。神戸は三重からも近いし、エキゾチックなイメージを持つ港町への憧れもあった。

一九八七年に入社した私は、三ヵ月間の合同新人研修を経て、思惑通り生物研究所に配属された。設立間もない研究所は、神戸本社と道を挟んだ古い四階建てビルの一階と地下にあった。最初に与えられたテーマは、「製鉄所から排出される副生ガスに含まれる、水素と二酸化炭素の生物学的な利用法の開発」。大手酒造メーカーから転職してきた三〇歳代前半の上司の下で、私は社会人研究者として歩み始めた。

研究成果を学術論文に

太古から生き残っている微生物の中には、水素と二酸化炭素によって生育するものがある。沼の底をかき回すと出てくるメタンガス（都市ガスの主成分でもある）を生成するメタン細菌の一部が、水素と二酸化炭素を利用して効率よく増殖することが知られていた。

水素と二酸化炭素を食べ、メタンを吐き出す過程で、この菌はビタミンB12を細胞内にため込む。ならばメタン細菌は、製鉄所から排出される副生ガスをビタミンB12とメタンに変えることができるのでは、との仮説を立てて研究に取り組んだ。

まずは、効率的に生育するメタン細菌を探すことになり、上司と手分けして日本中からサンプルを集めた。さて菌をどこから採取するか。沼地など腐敗が起こっている場所も考えたが、太古の地球を再現するような場所、つまり温泉源、それも高温な場所が候補となった。メタン細菌を探索するための出張は、嬉しいことに温泉地を巡る旅となった。

温泉は堪能したが、結果もしっかりと出した。六〇度の高温条件で、水素と二酸化炭素を利用し増殖するメタン細菌として、当時では世界一速いものを探し出した。その菌を工業的に利用するための培養法（大量に増やす方法）でも、当時としては世界一の成績を達成し、これらの結果を学術論文として報告した。大学を出てから四年目。大学院に進んだ同級生たちに負けまいと自らを追い立てた結果、早々と論文を出すことができた。

研究員にはなれたが、神戸に住めたのはわずかな期間だった。入社から二年後、生物研究所はなんと筑波に移転し、私は慣れ親しんだ地へ連れ戻されることになったのだ。世の中そんなに甘くない。

研究所の移転はあったものの、その後も研究は順調に進み、学術論文も増えていったが、採算性の問題から成果を実用化する目処は立たず、残念ながらメタン細菌の研究は、四年で打ち切りとなった。

次に与えられた研究テーマは、人工的にたんぱく質を合成する技術の開発。大阪大学の修士課程を出て、私の翌年に入社してきた一学年上の北岡義久さんと取り組んだ。あまりにも専門的なので詳細には触れないが、この研究で、この分野の先駆者であったロシアの研究グループと交流ができ、私たちも最先端の研究グループとして認められ、いくつかの学術論文を出すことができた。

研究所の閉鎖と阪神・淡路大震災

順風満帆に思える充実した研究活動を続けていたが、神戸の本社から経営企画部長がやってくると、事態は急変した。鉄鋼不況はバブル崩壊後いっそう深刻となり、神戸製鋼所でも大規模なリストラが断行されることに。目先の利益を生まない生物研究所もその対象となり、筑波に移転してからわずか五年で閉鎖されることになった。

それでも私は、バイオの研究を続けたいと意地を張り、神戸に戻れという会社の指示に抵抗した。皮肉なもので、学生時代には一刻も早く離れたかった筑波に、自ら居残ろうとしたのだ。しかしそれも半年が限度で、上司の説得を受けて神戸に戻った私は、バイオの研究から離されてしまった。

神戸に戻ってから半年後、追い討ちをかけるような事態が出来する。阪神・淡路大震災だ。震源から一〇kmほど北の社宅にいた私は、さいわいにもケガを負うことはなかったが、数日間のサバイバル生活を余儀なくされた。一週間後、自衛隊の誘導で神戸から大阪まで、六甲山の裏側を十一時間かけて車で移動し、いったん三重の実家に避難したのだが、尋常ではない経験をさせられた。

鉄鋼不況に加え、震災により神戸製鋼所の経営状態は大きく傾いた。半年ほど都市ガスが復旧せず、半崩壊と認定された社宅で暮らしながら、私は他の社員たちと業務の立て直しに邁進する日々を送った。

筑波大学から博士号を授かる

そんな最中の一九九五年、私は筑波大学から博士（農学）を取得した。神戸、筑波と場所を変えながら、生物研究所での研究結果を学術論文として発表し続けたが、これらの成果をまとめた博士論文が大学の審査で認められ、学位が授与されたのである。卒業から八年、三〇歳であった。

博士論文は、人工的にたんぱく質を合成する技術に関する学術論文を取りまとめた。

筑波大学で博士号を取得するには、二つの方法があった。一つは大学院に入学し、二年間の修士課程を経た後、三年間の博士課程で研究を行い、その成果を一報以上の学術論文（学会などが発行する学術雑誌に投稿し、審査を経て掲載された論文）として発表。それを博士論文に取りまとめて提出し、学位審査で合格となる方法。もう一つは、いわゆる論文博士（論博）という制度で、大学院には入らず、自らの力で学術論文を三報以上発表し、それらを基に博士論文として取りまとめ、学位審査で認められる方法である。

大学院に進学しなかった私は、当然ながら論博を目指した。大学を卒業するとき、学位審査を受ける条件を高橋教授から聞いていたので、企業の研究員となってからは意識して論文を書いた。メタン細菌の学術論文が三報となった頃に筑波大学を訪ねると、すでに高橋教授は定年退官されており、助教授だった向高佑邦先生が教授となって研究室を引き継いでおられた。

「西村君、内容は十分だけど、もう少し待ってもらえるかな」

これが、論文博士審査の手続きを尋ねたときの、向高先生からの返事だった。論博の審査を受けるにはもう一つ条件があり、卒業から七年間は審査申請を受け付けないことになっていると説明された。

「大学院を修了するより早く博士号が取れると、誰も進学しなくなるから」というのが理由らしい。そのとき私は二六歳ぐらいだったと思う。

「では、三年経ったらまた来ます」そう伝えて母校を後にした。

それから三年後、再び向高先生を訪ねた。

「卒業から七年経ったので、そろそろ学位審査を受けてもいいですか？」

先生の返事はＯＫだった。

「よし！」と思って論文を見ていただくと、「これは分野が違うので僕にはわからないな」と向高先生。以前訪ねたときは、先生の専門分野でもある生物化学工学系だったが、二度目にお見せしたのは、人工的にたんぱく質を合成する技術についての論文だった。

先生は、私が研究テーマを変え、三年で論博の条件を満たすような学術論文を書き上げるとは思ってもいなかったようだ。

「田中先生なら受けてもらえるんじゃない？」と救いのアドバイスをもらったので、さっそく田中教授を訪ね、経緯を説明すると、主査として学位審査を取り仕切っていただけることに。半年後、提出した博士論文が学位審査で無事合格となり、博士号の授与となった。当時の筑波大学学長は、ノーベル物理学賞受賞者の江崎《えさき》玲於奈《れおな》先生。私の学位記に、先生のお名前が記されているのが少し自慢である。

神戸製鋼所に就職することで筑波を脱出する作戦は失敗に終わったが、もう一つ密かに立てていた目標、「三〇歳までに博士号を取る」は、ほぼ達成することができた。

過酷なアメリカの研究現場

自らの研究成果を事業につなげたい。できれば海外に留学したい。そう思い続けていたが、もはや神戸製鋼所では不可能になった。
悶々としていた頃に、アメリカのニュージャージー州立大学での職を紹介してもらえることになり、思い切って会社を辞めようと考えた。博士号は、世界に通じるパスポートである。退職したい旨を上司に相談すると、二つの選択肢が提示された。一つは企画職として、いわゆる出世コースに乗って会社に残る道。もう一つは、好きな国に二年間留学した上で、帰国後は会社に戻り、与えられた仕事に専念するというもの。私がバイオ分野の研究にこだわっていること、海外での研究に憧れていることを見越しての提案だ。どちらも魅力的ではあったが、丁重にお断りした。

一九九六年五月末、会社を辞めた私は、筑波研究所時代に結婚した妻を伴って渡米した。覚悟を決めての渡米だったが、アメリカの研究現場は甘くはなかった。

ソ連崩壊とともに亡命してきたロシア人、湯気を出して壊れそうな実験装置を見てはしゃぐ陽気なアルゼンチン人、夜になると静かに現れる謎の中国人夫婦など、多彩な人びとと切磋琢磨することになった。命がけで研究者としての活路を自ら切り拓く。これが憧れていたアメリカの研究現場における常識であった。

予算管理が厳しい米国の研究室では、実験に必要な器具を自分で作ることから始めねばならない。神戸製鋼所の生物研では、研究に必要なものは基本的に購入させてもらえた。鉄鋼不況ではあったが、新分野に期待して会社が与えてくれた研究費と環境は贅沢なものだった。そう感じさせるほど、米国の研究現場は過酷であり、競争は熾烈だった。

想像以上の厳しい環境に馴染めなかった私は、ほどなく挫折した。

厳しいがフェアな環境

渡米から三ヵ月後、大学を辞した私は、知人の伝手を頼りにニューヨークの「ポール・コーポレーション」で働くことになった。

ポール社は、膜分離に関する工業用の製品を製造販売する、世界でもトップクラスの企業で、帰国後は同社の日本法人で働くことを条件に、経験を積むべく働き始めた。

大学のそばに借りていたアパートを引き払い、ロングアイランドにあるポール本社近くのアパートへ引っ越す際、荷物は少なかったがレンタカーを借りてニュージャージーからマンハッタンを横断した。

新居となるアパートに到着し、鍵をもらうため管理人を訪ねると、「どこから来たの？」と訊かれたので、「ニュージャージーから車で」と答えると、ふっくらした温厚そうなおばあちゃんは、老眼鏡をずらしながら目を丸くして「ストロング・ボーイ」と言った。日本から来たばかりの若夫婦が、マンハッタンを横断してやってきたことは、保守的な東海岸北部のアメリカ人には非常識に映ったようだった。

ポール社では、応用技術研究所の研究員として働いた。大学とは待遇が一変し、個室が与えられ、複数の研究員との共有だが秘書まで付いた。違う建物にある実験室のスタッフに実験の指示書を渡せば、数日後にはデータが届き、私のオフィスで説明を受けながら次の指示が出せる。アメリカトップ企業の、研究業務の仕組みはとても合理的で、人材の厚みと質の高さを知ることができた。でも、やはり競争は厳しい。

隣室にいたジョンは、南部訛りで愛嬌のいい青年だったが、昼休み中もサンドイッチをほおばりながら、コンピュータに向かってキーボードを叩いていた。定期的に上司のドイツ人が来て深刻なディスカッションが行われると、みるみる神経質になっていくのが見て取れた。オフィスの違うブロックには、私より数ヵ月前に採用された中国人がいた。週に一度、彼の部屋を訪ねて世間話をしていたが、三ヵ月ぐらいすると、そこには違う研究員が座っていた。どうしたのかなと思っていると、「彼はボスの期待に応えられなかった」新しい研究員が教えてくれた。

ポール社の日本法人から半年間、研修を受けに来た方がいた。私には個室が与えられていたが、彼は実験室の片隅に取り付けられた長机の一部を、他のスタッフと一緒に使っていた。私と同い年の彼は修士卒。アメリカでは、学位の違いで就ける職種と待遇が大きく異なるという現実を、まざまざと見せつけられた。

約半年間のポール本社での勤務は得難い体験となった。トップ企業で生き残る競争の激しさも目の当たりにしたが、実力を発揮するための環境は十分に与えられる。厳しいがフェアな環境と言えた。

一九九七年二月、私はポール社の日本法人へ移籍する形で帰国した。九ヵ月という短い期間だったが、アメリカ社会のリアルを肌で感じることができた。

ベンチャーの社長から振り出しに

帰国した私は、ポール社の日本法人で働いていたが、バイオ研究への思いは断ち難く、翌年五月には外資系の製薬会社へと転職した。

さらにその一年後、所属していた部署の上司から誘われ、会社を辞してバイオベンチャーの創業に携わることに。九九年七月であった。今にして思うと、この上司は私を採用する時から、ベンチャー創業に巻き込むことを想定していた節がある。

製薬会社を辞めた私は、創業準備のため、いったん上司と付き合いのあった東京の研究用機器卸業の会社に籍を置いた。東京本社の一室を借り、大手バイオ企業と連携することで、起業に必要な技術開発を進めた。開発に目処が立った頃、北海道大学医学部の吉木敬教授の研究室との共同研究を開始した。

これらの実績を基に二〇〇〇年七月、株式会社ジェネティックラボを札幌市で創業した。

Ｇラボには吉木教授ほか一一名の国立大学の教授が参画した。これが国立大学の教授に、民間企業の取締役との兼業を認める制度を利用した国内初の事例となった。いわゆる「国立大学発ベンチャー」の第一号である。

Ｇラボでは、当時注目され始めていた遺伝情報に基づく治療薬の開発を目指した。研究開発の責任者として参画した私は、その後、経営戦略を立てる社長参謀、技術営業など現業のすべてを担当することとなった。

三〇代前半は息つく間もなく、働く場所と住居を変えながら、次々と新しいことに挑戦した。家内からは、「あなたはいつも相談するふりはするけど、相談する時にはすでに決まってる」と呆れられた。結婚後の転勤・転職を伴う引越しは一〇回以上。「ジェットコースターに乗っているような人生ね」とも言われた。

ジェネティックラボの立ち上げは順調に進み、本格的な研究開発と事業構築を図るため、ベンチャーキャピタル（ＶＣ）から数億円の資金調達を行った。

当時のＧラボは、私を誘った製薬企業時代の上司が社長で、私がお世話になっていた東京にある企業の社長が会長だったが、いずれも兼業であった。取締役として参画した教授も、もちろん兼業だ。ＶＣからは資金調達の条件として、専業人材を社長に据えることを突き付けられた。創業メンバーで専業は私だけ。そこで成り行き上、二〇〇二年四月から私が社長を務めることになった。

社長就任後は、札幌市の検査会社を買収し、事業を統合するなど規模拡大を行い、会社は順調に成長していた。と私は思っていたのだが、ＶＣは私の事業戦略が手温いと見ていたようだ。両者の亀裂は徐々に大きくなり、株式上場への考え方でついに対立した。

私は足元を掬われるようにして、社長を辞することとなった。

私の立場が大きく変化する中で、会社の経理を担当していた妻が、追随するように体調を崩した。妻の体調を取り戻すとともに、ベンチャー企業でのチャレンジに区切りをつけるため、二〇〇四年七月に会社を辞めた私は、妻とともに故郷へ引き籠った。

アメリカに次ぐ、人生二度目の大きな挫折である。失意に暮れてもよかったのかもしれないが、意外とすっきりとした気分だった。実家に帰ったのは、豊かな自然と美味しい空気、ゆったりした時間の流れが、妻の静養に良いと思ったからだ。原点に立ち返って一からやり直してみたい気持ちもあった。

高校進学から二〇年余り故郷を離れたが、実は外の世界を放浪しているような感じをずっと抱いていた。この気持ちにもケリをつけたかった。

私は四〇歳を目前にして振り出しに戻った。

肩書きを捨ててわかること

田舎では心身ともにゆったりと過ごした。

昼間は、実家の庭先にある祖母が耕していた畑で野菜を育てた。夕方になると、近所に住む従兄弟・裕基君の中学生の次男や、母方の従弟の長女に勉強を教えた。畑仕事の合間には、叔父の芳夫さんから炭焼きを教わり、模擬的な炭焼きの実験窯をつくった。試行錯誤したものの最後まで良い炭は出来なかった。私には炭焼きの才能が無いことがわかった。

両親は、長年続けていた乳牛の飼育を数年前にやめており、大型動物の獣医である兄と一緒に子牛を飼育していた。実家に居候していた私は、たまに牛舎に行って父を手伝った。激動の三〇代からは想像できない、昔の生活に戻ったような日々だった。

「生きていくのにいくらいる?」

近くを散歩していたら携帯電話が鳴り、そう訊かれた。実家に帰った際、これまでお世話になった方々に礼状を送っていたが、電話はその返事だった。

相手は東京の会社社長で、私が社長の時に取引があり、出資も受けていた。彼は、先代の父親が急逝したため三〇歳そこそこで会社を継いでおり、社長になる前日に泥酔し、少しばかり警察にお世話になってから初出勤したという大物である。三〇年以上の経営経験を持ち、恰幅が良く強面だったこともあり、彼と会うといつも緊張していた。

そんな大先輩からの電話で戸惑ったが、ありがたかった。

「そうですね。月二〇万円あれば、なんとかなります」私が答えると、彼はこう言った。

「それなら月に一度、東京に出てこないか？　一緒に寿司でも食べながら、バイオ産業の最近の動向について聞かせてくれ」

「分かりました」即答し、彼の会社との顧問契約が決まった。

こんな話が次々と舞い込んで、田舎に戻って半年ぐらい経つと、図らずも私の月収は社長だった頃に近づいていた。社長時代に交流のあった方々は、会社ではなく私個人と付き合ってくれていたのだ。全てを捨てて生身の自分を晒すと、それまで他人が自分をどう見てくれていたのかが分かる。

私は夢の実現を目指して、研究にも経営にも真摯に取り組んできた。そう確信しているが、その結果、自分が創った場所（会社）を追われることになった。その一方で、ビジネスで交流のあった経営者たちは、従前と変わらず、今度は個人として付き合ってくれる。

本当にありがたいと思った。

時給一三〇〇円の〝特命〟教授

田舎暮らしの傍ら、複数の企業の顧問となった私は、月に一週間程度、東京と名古屋の企業を巡ることになった。

毎日、暇そうに畑を耕しているのに、月に一度スーツを着て出かけては、一週間くらいして帰ってくる。あいつは何をしているのだろう？　近所で噂になっていたようだ。厄落としの準備をしている時、同級生にも訊かれた。

田舎暮らしを始めてから数ヵ月経った頃、ジェネティックラボ時代に、中途採用の人材募集に利用していた人材バンクの社長から電話があった。

「東京のベンチャー企業が社長を探しています。なる気はありませんか」

家内のこともあり、今はここを動けないと事情を説明すると、別の話を持ち掛けてきた。

「うちからは紹介できない仕事があるんですが…」

彼は少し言葉を濁らせると、三重大学医学部が非常勤の産学連携コーディネータを探していることを教えてくれた。

週二日の勤務で、時給は一三〇〇円。契約は一年ごとに更新。これが条件だった。扶養家族を持つ働き盛りには劣悪と思える条件だが、当時の私にはちょうど良かった。師走が近づく夕方だったと思うが、医学部の産学連携推進研究機構を担当されている教授を訪ね、面談の機会を得た。

数年前に機構が設置され、医学部と産業界、県庁などの行政機関とをつなぐ役割を担っていること。現任者が、三重大発のベンチャー企業の社長になるので、その後任者を探している、といった説明を受けた。

「興味があります。たぶんできると思います」仕事の内容に関心があり、前向きである意思を伝えた。

雑談も交えて一時間くらい経ったころ、教授は少し口ごもりながら切り出した。

「ぜひ来ていただきたいのですが、条件が…」それまでの口調から一転、声が小さくなり、時給一三〇〇円で一年更新、等々の条件を説明された。「南伊勢町から通われても、交通費は出しますから」そこだけは強いトーンだった。

「条件は大丈夫です。今の私にとっては、ちょうどいいので」と応えると、「では、来月から来ていただけますか」と採用が決まった。妻が回復したら産業界に戻る気でいたので、長くて二年ぐらいの腰掛けのつもりで、非常勤コーディネータを引き受けることになった。

こうして私は二〇〇四年十二月から三重大学へ通うことに。医学部が気を利かして「特命教授」という、それなりに立派な肩書を付けてくれたが、もちろん非公式である。

バイオメディカル創業プログラム

三重大学の特命教授になって間もなくのこと、駒田美弘医学部長（当時）と廊下で立ち話をする機会があり、先生からこんな話を投げかけられた。

「僕の研究室の修士課程学生がね、就職が決まりましたと報告に来たんだけど、どこへいくのか聞いてみると自衛隊と言うんだ。西村先生、これどう思う？」

医学系研究科の修士課程には、医学部以外の学部を卒業した学生が進学してくる。六年制の医学部は、卒業すれば修士卒相当となるので、彼らは博士課程となるのだ。

こんな事情から、医学系研究科の修士課程は、ある種特殊な位置付けとなる。医者にならない学生ばかりが進学してくるので、医者の集団である教授陣は、学生の扱いに無頓着になってしまうのだ。医者への進路決めは得意だが、産業界への進路指導は皆目見当がつかない。これが、件《くだん》の学生が自衛隊に入った顛末である。

当人は知らなくても、実は医学部教授とのコネクションを持つ社員は、企業にとって貴重な存在だ。この特徴を生かすため、私は産業界での即戦力人材の養成を思いついた。折しも、文部科学省から新しい教育プログラムを支援する予算の公募があり、これを利用しようと考えた。予算申請は、前職での経験から得意中の得意だ。

文科省へ予算申請するには、まず大学内のコンペに勝たねばならない。競争相手は、社会科学系と教育系学部の教授グループが提案した二案件だった。非常勤の（非公式）特命教授vs現役教授グループの戦いは、ヒアリング審査の結果、私に軍配が上がった。私が作成した案は文科省に提出され、厳正な審査を経て採択されたのである。

これは当時の三重大学でも予算規模が大きな事業であり、教育分野では初めて獲得した大型予算だった。私はこの予算を基に「バイオメディカル創業プログラム」という新しい教育プログラムを立ち上げた。実施に当たって、民間企業での経営経験があり、大学の仕組みがわかる教育担当者が必要となったので、私は時給五五〇〇円の非常勤講師として自身を雇うことにした。つまり特命教授と非常勤講師、大学から二枚の給与明細をいただくこととなったのである。

バイオメディカル創業プログラムでは、医学系研究科の修士課程で学ぶ学生から希望者を募り、講義と議論を交互に繰り返しながら、起業家に必要な考え方を教えた。大企業のプロジェクトでも、リーダーとしてチームを引っ張る際には、起業家としての姿勢が役に立つと考え、教育プログラムを組み立てた。本物を知らないと、本気の努力はできない。会社経営の経験で得た私の信念である。

これを教育に反映するため、交流があったアメリカのベンチャー企業や、ニュージーランドの農業企業に学生たちを連れて行った。本物の人たちとガチンコで意見交換する私の姿を、学生たちにただ座って見学させる。それだけの海外実習だったが、帰国後の彼らの変化は明らかだった。それまでフランクに私と接していた学生たちは、直立不動であいさつするようになり、講義で与えた課題にもより真剣に取り組むようになった。

責任を取って教授になる

教育プログラムが軌道に乗り始めた頃、ある事件が起こった。

「職員名簿を作るのに、西村先生の肩書を『特命教授』と書いたら、人事部から拒否されてしまいました」秘書を担当していただいていた女性から、こんな報告があったのだ。私の採用上の肩書は「産学連携コーディネータ」で、医学部が勝手につけた「特命教授」を名簿（学内の電話帳）に載せるのは認められない、との見解である。

確かにそうなのだが、私は意気に感じてこの職を受けていた。時給一三〇〇円、非常勤、更新未定の一年任期という、とても不安定な立場でも、役に立つのであればと引き受け、その気持ちを汲んだ医学部から「特命教授」という形だけの肩書をいただいた。それが嬉しくて、たぶん時給以上の働きをした。そういった個人の感情を無視した冷たい扱いに、私は納得がいかなかった。

「じゃあ三重大学を辞めます」秘書担当の女性に言い残して、私は南伊勢の自宅に帰った。三重大学には片道七〇kmを車で通っていた。最初は週に二日程度だったが、新しい教育プログラムの企画を考える頃から徐々に出勤日数は増え、バイオメディカル創業プログラムを開始してからは、顧問として企業に出向く日以外は、ほとんど大学に行っていた。往復一四〇kmの運転はきつかったが、やり甲斐を感じて楽しく通っていた。それなのに、と裏切られた気持ちだった。「辞めます」と言った翌日から大学には出勤しなかった。

数日後、大学に行くと研究科長室に呼び出された。

駒田研究科長（当時）とは滅多にお会いすることがないし、呼び出されたこともない。何事かな、とおっかなびっくりで部屋を訪ねると、そこには駒田先生と副研究科長が座っていた。すると開口一番、駒田先生がこうおっしゃったのである。

「西村先生、中途半端で辞めてもらっては困るよ、責任をとって教授になりなさい」

秘書担当の女性から巡りめぐって研究科長、さらには豊田長康学長（当時）まで「西村が辞める」と伝わったようで、どうやら学長が「西村を教授でもなんにでもして残しなさい」と指示されたようだ。そういった説明を駒田先生がしてくださった。

「私は爆弾のようなもので、抱え込むと内部爆発するかもしれませんよ」

企業畑を歩いてきた人間、しかもベンチャー企業を創業し、後に追われるという過酷な経験をしてきた者を、温厚な方々の集団である国立大学に入れることは、学内をかき回すことになりかねません。そういった意味で言ったのだ。

「それを期待している」が駒田先生の返事だった。

「ならば承知しました。ただし、結果が出せなければ三年でクビにしてください」

とても不思議な感覚だった。大学教授は、誰もが憧れる職業の一つであると思う。私も企業で働いていた時に彼らと一緒に仕事したが、自分たちとは全く別の人種だと思っていた。三重大で働くことになるまで、学内には一人の知り合いもいなかった。縁もゆかりもない大学で、まさか自分が教授になるとは思ってもみなかった。

さいわい、本書刊行の二〇二一年末現在もまだ三重大学にいるので、こんな私でも少しはお役に立てているのだろう。

川の流れのままに

私は、自分がやりたいと思ったことにとことんこだわってきた。

筑波大学しか行きたくないと、受験したのは一校だけ。筑波からは脱出したいが、研究職には就きたいと神戸製鋼所に就職した。本物のバイオ研究者と認めてもらうために博士号を取った。バイオの研究がしたいからと会社を辞め、渡米した。バイオでの研究成果を事業化するべくバイオベンチャーを創業し、社長にまでなった。やりたいことをやりつくして田舎に戻った。

それからは不思議と欲がなくなった。頼まれたことを断らず、相手の役に立てるよう真摯に取り組んだ。顧問としていくつかの会社の投資戦略、事業開拓、人材育成を手伝った。大学と社会を結びつけることに取り組み、大学院の新しい教育プログラムを立ち上げた。

すべては自分がしたいからではなく、お役に立つのであれば働かせていただこうという気持ちからだった。さながら川の流れに乗るように。

そして私は、三重大学の医学系研究科の正式な教授に採用された。

妻の具合もすっかり回復したので、私たちは南伊勢町の実家を出て津市に家を買い、移り住むことにした。ここからが再出発だと、少し気持ちが高ぶった。

「これで、誰かにあなたの職業を聞かれても、説明が楽になる」妻にも喜んでもらえた。

第三章

なぜ人々は田舎に住めなくなったのか

農業がダメになったのはなぜだろう

二〇〇六年四月、教授となった私は三重大学に自らの研究室を立ち上げた。名称を「トランスレーショナル医科学研究室」とし、医学研究で生まれた成果を社会還元する方法論を研究することにした。要するに、企業で働いていた時の仕事を研究することにしたのである。

研究室を立ち上げると、学生を受け入れることになる。大学院には修士課程と博士課程があり、修士課程では学生が入学後に希望する研究室を決めることが多い。一方の博士課程は、入学希望者と事前に面談し、希望する研究室を確認してから受験してもらうといったルールがある。

私は二種類の学生を研究室に受け入れた。入学後に私の研究室を希望した学生たちと、私が面談して来てもらった社会人の学生たちだ。前者は、たいていは大学卒業後、切れ目なく修士課程に進学してきたフレッシュな学生である。

この章では、そのフレッシュな学生たちと取り組み、考えたことを紹介する。

「田舎は本当にダメになったのか？」故郷に戻ってから、ずっとこの疑問を抱いていた。

私が生まれ育った集落は、農業を生業として生活をつないできた。小さい頃は、父親も叔父さんたちも、近所の人たちも家族で農業を営みながら元気に暮らしていた。高校に進学した頃から、地元の集落から小学校に通う子供の数が少なくなった。私の同級生は一〇人いたが、数年後には二、三人になった。

家業である農業を継がずに地元を離れる人たちが増えた。農業以外の職に就き、地元から伊勢に通勤する人たちも多くなった。伊勢に通っていた人たちが、子供の高校進学に合わせて住居を移すようになった。こうして集落の人口が減っていった。

田舎がダメになったのはなぜだろう。農業がダメになったから？　では農業がダメになったのはなぜ？　この疑問を解くため、農業について調べてみると、厳しい現状が見えてきた。

南伊勢町の農家が持っている農地の面積は八〇アール程度で、本州農家の平均二ヘクタールの半分以下。ＪＡの野菜出荷場が撤退したため、狭い農地にも関わらずＪＡが引き取ってくれる米を主に作っている。

稲作で一〇アール（約一反）当たりの収量から得られる収入（反収）は、二〇〇六年当時で一二万円程度と見積もられており、これを南伊勢町の農家に当てはめると一〇〇万円弱となる。ここから苗代、肥料代などの経費を支払い、農機具を買って維持するとなれば、一年間田んぼを耕しても手元に残る金額はわずか。農業を諦めてしまうのもうなずける。この収入で子供を大学に行かせるのはとても無理で、子供を持ち、その子の将来を考えるようになると、町に出て働く道を選択するのも仕方ない。

私が大学に入った時（一九八三年）の国立大学の入学料は一〇万円、年間の授業料は二一万六千円だった。数年おきに引き上げられ、二〇〇三年には授業料が五〇万円を超え、入学料が三〇万円弱となっている。

私の在学中も親は年間三〇万円以上の学費を払っており、生活費などの仕送りを含めると、この頃でも大学に通わせるのは大変だったと思う。一つ年上の兄は私大だったので、なおのこと。私が小学一年生のときに大規模な酪農を始めていたおかげで、息子二人が大学生という経済的に厳しい時期をなんとか乗り越えることができた。

ちなみに、一九七五年の国立大学の授業料は三万円で、入学料は五万円だったそうだ。

この頃までだったら、農業を生業にした南伊勢町の一般家庭でも、子供を大学に行かせることに希望が持てたと思う。田舎でも、賢い子供たちは親とともに夢を見ることができた。

そんな状況が、私たちの世代を境に大きく変化した。

春キャベツの可能性

稲作以外の農業はできないのだろうか。狭い土地でも効率よく儲かる作物は？　研究室に入ってきたフレッシュな二人の学生と、この課題に取り組むことにした。

彼らには、まず農林水産省の統計資料を基に調べてもらった。すると、シシトウやミニトマトなら、一〇アール当たりの収入が八〇万円を超えることが分かった。これを南伊勢町で作れば、八〇アールであれば六四〇万円。これなら悪くない。でも、作るのがどれくらい大変なんだろう？　学生たちが農作業の時間を調べてくれた。

収入を作業時間で割れば時給が出る。時給がわかれば、素人でも試す価値があるかどうか判断がつく。シシトウで四六〇円、ミニトマトで七五〇円ほどだった。この時給だと、今どき高校生でもやらない。

　では、時給が高い作物は？　これも学生たちが答えを見つけてくれた。キャベツが二、五〇〇円を超えることが分かったので、詳しく調べることにした。

　キャベツは、播種から収穫まで約四ヵ月かかる。栽培に適した気温は一五～二〇℃で、温暖な地域では夏の終わりに種を播き秋冬に収穫する。涼しい地域では、春先に播いて夏秋に収穫する生産を行っている。秋冬収穫のキャベツは愛知県、夏秋収穫は群馬県の高原が主な産地で、両県が日本全体の約四割を生産している。

　いつ作ればいいのか？　野菜流通業の知り合いに聞いたところ「四月から五月の連休ぐらいまでがいい」と言う。キャベツは寒さに弱いので、成長段階で五度以下の低温にさらされると球を巻かない。冬を越しての栽培はできないので、例年四月頃には市場で品薄となり、価格が高くなると教えてくれた。

　その時期に出荷するキャベツを、どこか作っているところはないのか？　三重県農業研究所の知り合いに聞くと、千葉県銚子市が春どりキャベツの栽培に取り組んでいることを教えてくれた。十一月頃に苗を植え、畑でしばらく成長させてから休眠させると言う。冬の平均最低気温が五℃を下回らなければ、春になると成長が再開して結球し、四月の終わりには収穫できるらしい。銚子市では試験栽培に成功していた。

学生たちに銚子市と南伊勢町の気候を調べてもらうと、冬の平均気温は南伊勢のほうが暖かい。加えて春先の温度上昇も早いことが分かった。農業研究所の知人からは、寒さに強い、新しい品種があることも教えてもらった。

そこで二〇〇七年の秋から、学生とともに南伊勢町でキャベツ作りに取り組むことを決めた。題してキャベツ・プロジェクト。

医学部の教授となり、最初に取り組んだテーマが農業となった。

学生たちと農業をやってみた

お盆の頃から毎週、南伊勢町道方竈《みちかたがま》の農家を訪ね、私たちと一緒にキャベツを作りませんか、と声がけをした。最初は怪訝そうな顔をされたが、三、四回通うと反応が良くなり、三人の稲作農家と一緒にキャベツを作ることが決まった。

そのうちの一人が所有する、一四アールの休耕田を借りて育てることになったが、キャベツ栽培は全員が初めて。そこでＪＡ伊勢から指導を受け、必要な農機具も借りた。種は農業研究所から分けてもらい、苗づくりは津市の農業団体にお願いした。

十月頃から、学生たちと休耕田を畑に変える作業を開始。畦に穴を空けて水はけを良くし、田んぼの中の大きな石を拾い出した。津市の種苗会社からは施肥の指導を受け、学生たちと一緒にトラクタで畑を耕し、肥料をすき込んだ。必要な資金は、中部電力から支援を受けることができた。

十一月二二日、津で育てられた苗を道方竈の畑に定植。最初は猿、鹿、イノシシに荒らされたが、町の補助を受けて畑に電柵を張り巡らせると、残った苗は順調に成育した。学生たちは定期的に畑に出向き、追肥、農薬散布などを行ってくれた。

休耕田を開墾した圃場で苗はすくすくと育ち、二〇〇八年五月八日、待望の初収穫を迎えた。初めに獣害にあった二割を除くとほぼ一〇〇％の歩留まりで、立派なキャベツを収穫することができた。

高収益のキャベツでも儲からない

南伊勢町の人口は一万人強。約半分が老人なので、当たり前のようにここで売ることは無理と判断した私は、伝手を頼り、名古屋の野菜加工業者に買い取り交渉をした。狙い通り市場ではキャベツが品薄の時期だったので、最初に収穫した約一、七〇〇kgは、すべて高値で引き取ってもらえた。一つの成功であった。

一方で、大きな問題があることも分かった。名古屋へこれだけのキャベツを届けるには、二トン車を手配し、コンテナに詰めて運ぶ必要がある。これが高くついた。計算すると売り上げの約半分が運賃で消えていた。

ＪＡが南伊勢町から出荷場を撤退したのは、これが理由か。南伊勢町で大量にキャベツや野菜を作っても、市場価格が良い時でさえ、名古屋に運ぶだけで売り上げの半分が運賃に消えてしまう。価格が安い時なら、原価割れは必至だ。ため息をつくような現実を思い知らされた。

どこか近くに、いい売り先はないものか？　学生たちと、地元で手伝ってくれている従兄弟の裕基君にも考えてもらった。

「伊勢の市場はどうだろう」裕基君のアイデアだ。

「いくらでも引き取りますよ」が市場担当者の返事だったが、それにはサイズ別に箱詰めし、朝八時までに届けるという条件が付いた。

市場の要求に応えるには、朝四時に集合して収穫し、出荷作業を始めねばならない。五月一六日、近所のお母さんたちにもバイトで協力してもらい、箱詰めしたキャベツを伊勢の市場に向けて出荷した。市場までは、農家所有の軽トラで一時間くらい。市場価格は依然として高く、そこそこの値段で約三六〇kgを売ることができた。

名古屋より格段に運賃を抑えることができ、良い値段で売れたものの、出荷に携わった全員から、もう無理ですとの声が聞かれた。暖かくなってきた五月中旬とはいえ、夜明け前からの重労働は、相当な負担だったようだ。

この方法も無理か。だからＪＡは出荷場を閉めたのか。

田舎でも富を生み出せる

ほかに手はないのか？

今度は学生たちから、こんな意見が出された。

「近所にスーパーがあります。数十個のキャベツを売っているので、ダメもとで聞いてみましょう。店頭に屋台を出して僕たちが売るので、試させてください」

学生たちにスーパーとの交渉を任せると、仕入れ担当者から望外の返事が返ってきた。

「いくらでも持ってきてください。ただし店に納入する二日前に、何個出荷できるかを教えてください。そうしたら、出荷当日の伊勢市場の価格ですべて買い取ります」

なぜ？　私たちが不思議に思っていると、スーパーの担当者はこう説明してくれた。

「うちはスーパーチェーンの店舗で、扱う野菜は伊勢の市場で仕入れています。このキャベツは品質もいいし、市場で買うのと同じなので」

このスーパーチェーンは三重県南部を中心に二〇数店舗を展開していて、伊勢の市場で仕入れた野菜を、自社のトラックで各店舗に配送している。だから仕入れ先を、伊勢の市場から道方竈の畑に変えるだけと。なるほどと思った。まさに燈台下暗しである。

私が小さい頃にはまだ町内にスーパーはなく、近所にあるのは魚屋、八百屋、肉屋といった個人商店だけだった。それがいつの間にか、この町にも県内に張り巡らされたスーパーチェーンが出店するようになっていた。普段からこの店をよく使っていたが、仕入れやチェーン内での物流の方法までは想像したことがなかった。

人が減り、学校が減り、バスの便数が減って、田舎はすっかりダメになったと思い込んでいた。ところが、そんな田舎にも人は住んでいる。人が住むところは、日本が豊かになれば、必ずその恩恵を受けることができるのだ。

気がつけば、昔はなかった宅配便業者が当たり前にものを届けてくれる。田舎にいるときでも、私の携帯電話には東京や海外からも電話がかかってくる。コンビニやスーパーが、いつの間にか主要な買い物の場になっている。何のことはない。風景は変わらなくても、田舎は便利なものに取り囲まれていたのだ。

田舎に入ってきた新しいものと、昔ながらのやり方を私たちは分けて考えていないか？

田舎では物は売れない。だから名古屋や伊勢で売ろうと考える。この当たり前の考えが間違っていた。田舎には、都会を便利にしているものがほぼ同時か、少し遅れて入ってくる。新しく入ってきたスーパーマーケットの仕組みと、昔ながらの農地とキャベツを最適につなぎ合わせれば、米を作っていた時の約三倍の収益を得られたのだ。

やり方を変えるだけで、過疎地域でも新たな富を生み出せる。これが、学生と農業をやってみて分かったことである。

この取り組みについて、学会で発表したいと学生たちから申し入れがあったので、良い経験になると思い、農業系の学会で発表してもらうことにした。彼らが地域活性化の新しいモデルになると綿密に作った資料は良くできており、今でも私は講演で使っている。

ところが、自信をもって発表した学生は、学会発表のセッション座長を務められていた大学教授から叱責を受けた。「自分たちで農業をするとは何事か」と。

新しい取り組みは、やってみないと効果が検証できない。私たちはそう考えていた。しかし権威ある学会では、事象を観察し解析するのが学問であり、研究者が介入するとはけしからんとの見解だった。日本の学会の度量を見たような気がした。

この学生はそんなことではひるまず、卒業後は農作物を流通する会社に就職し、忘れられていた地域の野菜を掘り起こし、全国に展開する仕事に携わった。

誰も得をしない魚の流通

田舎は本当にダメになったのか？　を考えるのに、漁業についても調べた。

漁業は、熊野灘に面した南伊勢町の主要産業である。三重漁連の資料に紹介されていたと記憶するが、三重県で食べられている魚の量と県内で水揚げされる魚の量はほぼ同じなのに、水揚げされた魚の約八割が県外に出荷されているという。

漁業が最盛期だった一九七〇年頃は、三重県内で食される約三倍の魚が水揚げされ、県内で食べきれない分が県外に出荷されていた。この頃の日本は、全国各地の田舎から人々がどんどん都会へ流入し、若くて活気ある人たちであふれる街では魚が飛ぶように売れた。南伊勢町からも、仲買を介して都会に魚を運ぶことで、漁師たちは豊かになった。

私が生まれ育った南伊勢町東宮は、リアス式海岸の半島の谷間にある狭い平野部だが、海側に接して奈屋浦という集落がある。かつて東宮の百姓が使う納屋があったので、「なや」という音が残り、奈屋浦と呼ばれるようになったと教えられた。

昔は、米を作る百姓の村が豊かで、魚を獲る漁師の村は、魚と物々交換して米を手に入れるしかなく、総じて貧しかった。それが、一九七〇年頃から両者の関係は逆転し始める。東宮の人口は急速に減ったが、奈屋浦は羽振りのよい漁師たちで元気なままだった。

その頃の仕組みだけが残り、南伊勢町の漁業では矛盾が起こっていた。港に水揚げされた魚がキロ二〇円の浜値で買い取られ、名古屋市場を経由して津市内のスーパーでキロ一〇〇円で売られる。二〇一一年頃はこんな状況になっていた。

奈屋浦で仲買に買い取られた魚は、トラックに積まれて名古屋の市場へ。そこで競りに掛けられ、大手スーパーチェーンが大量に仕入れた魚が、各地の小売店に配送される。港に水揚げされた魚は、仲買、市場、配送、小売店と渡る間に、少しずつ手数料が上乗せされていく。昔はこのやり方で、漁師を含むすべての関係者が潤った。

このシステムが徐々におかしくなった。為替レートの改定や円高、高速道路網の整備等により、国内外から同じ市場に魚が集まることで、産地間競争が激しくなっていった。

食の欧米化で、日本人の魚離れも進んだ。さらには経済の低迷、高齢化と人口減少の始まりなど、さまざまな要素が重なり合って魚の販売価格が低迷し、漁業が衰退した。

二〇一五年には、日本の漁業・養殖業の生産高は最盛期の約三分の一になった。こんな状況に陥っても、昔ながらの仕組みを続けてきたのだ。その結果、それぞれの取り分は減って、誰もが得をしなくなっていた。

学生と魚屋をやって分かったこと

南伊勢町の漁業の現状を打破できないか？　農業の次はフレッシュな学生たちと、この課題に挑むことにした。

南伊勢町の港から魚を買い取る仲買に、同じ思いの方がいた。中西洋文さんである。中西さんは大手製造企業で営業マンとして働いた後、定年を機に故郷の錦（大紀町／南伊勢町西隣の漁業集落）に戻り、漁師と仲買との新しい関係を創ろうと奔走されていた。

いっそのこと、漁港から津に魚を運んで、直接消費者に売ってみたら。

中西さんと意気投合した私は、学生たちと津市内で、南伊勢町産の魚の直売を行うことを決めた。中西さんのアイデアで、田舎のものをお裾分けする気持ちでやりましょうと。お裾分けには、福を分けるという意味もあるとのことで、活動名を「お福わけ市」とした。

金曜日の朝、南伊勢町に水揚げされた魚を、中西さん親子が軽トラックで津へ運び、朝一〇時から三時間、中心市街地の大門《だいもん》にある真ん中広場で販売する取り組みを二〇一一年の初夏から半年ほど試した。真ん中広場は大門商店街に隣接しているが、当時からいわゆるシャッター商店街で、人通りは少なかった。そんな条件でも、お福わけ市は盛況で、いつも開店から一時間ほどで完売となった。浜値の四倍の価格で売っても、近所のスーパーより安く、産直ゆえ新鮮だと評判になった。

大門商店街にも、その周囲にも人は住んでいる。かつては商店街にも魚屋があったが、街の衰退とともに無くなった。真ん中広場横の市営ビルにはスーパーチェーンの店舗が入っているが、そこで三重県産の魚を探すのは難しい。大手小売店ネットワークの流通システムでは、津市内にあるスーパーでさえ地魚が主流になれない。あったとしても、複雑な流通経路で運ばれてくるため、鮮度が落ちる。これが現状だった。

商店街近辺の住人たちは高齢者が多く、遠くまでは買い物に行けない。新鮮な魚が食べたくても近くでは買えない。そんな状況ゆえ、週に一度の産直魚屋は支持されたのだ。南伊勢町で獲れた魚を津市に運び直接売ることで、手間賃を引いても漁師の取り分、仲買の利益が大幅に増えるばかりか、消費者にも喜んでもらえる。これが、学生と魚屋をやってみて分かったことである。

お福わけ市には私の研究室の学生に加え、彼らの知り合いの学生たちも参加してくれた。魚を販売するテントの設置や片付けを担当し、売り子としても活躍してくれた。学生たちは地域の課題を肌で感じ、その解決に関わることに関心を持てたと思う。

私は内田淳正学長（当時）の指示で二〇一二年、三重大学内に地域活性化に貢献するためのシンクタンク「地域戦略センター」を創設し、三重県庁から農業で地域を活性化する事業を請け負ったことがある。その活動にも、お福わけ市に参加した学生たちが積極的に協力してくれた。その後、学生たちの有志が地域活性化に取り組む団体を立ち上げ、地域戦略センターと連携して、自治体から要請された課題の解決に取り組んでくれた。

キャベツ・プロジェクトで農家の方とキャベツ栽培に取り組む学生。
苗の定植（上）と、獣害除け柵の設置（下）。

南の魚・野菜お福わけ市

南伊勢に水揚げされた魚や農産物を、直接津市の真ん中広場で販売した「お福わけ市」。2011年の初夏から毎週金曜の午前に開催され、いつも大盛況だった。オープニングのあいさつをする中西洋文さん、前葉泰幸津市長、内田淳正学長（当時）。〈上段左から〉

鳥羽マルシェの設立に関わって

二〇一三年のこと。鳥羽市から、農水産物直売所の設置についての相談を受けた。市が建物を建て、地元のＪＡと漁協が協力して運営するという計画だった。

私は鳥羽の実情を少し調べた。なるほど漁業は盛んだが、獲れた魚介のほとんどは市外に出ていっていた。農業は南伊勢町と同じで、米以外の農作物を出荷する場所がなく、稲作のほかは自家消費分の野菜を、おじいちゃん、おばあちゃんが畑で細々と作っていた。市内の小売店を見て回ったが、地元で獲れた魚や野菜が、ほとんど手に入らない。旅館では、「お客さん今日はいい魚が入りましたよ、千葉県産です」と言われた。

鳥羽市の担当者に、「直売所の顧客ターゲットは誰ですか？」と訊くと、「観光客です」と即答された。私は、お福わけ市の話をして、「鳥羽で獲れたものは鳥羽で食す」という考え方が重要だと伝えた。地域で獲れたものが地域内で流通するための拠点として、直売所を位置づけてはと。するとさっそく、市長主催による地元関係者との会合が開かれ、直売所の在り方がみんなで話し合われた。紆余曲折はあったものの、最終的には私の考えに皆さんの賛同を得ることができ、直売所の名前は「鳥羽マルシェ」と決まった。

　鳥羽マルシェには海産物、農産物の直売所が設置され、鳥羽の食材を使った郷土料理を取りそろえたビュッフェも併設された。海産物は漁協、農産物はＪＡが手配する。鳥羽には専業農家がほとんどいなかったので、ＪＡが生産農家の開拓を精力的に行った。

　ビュッフェで供するメニューの年間計画を立てると、使用する野菜の種類と量を決めて農家に栽培を依頼した。トラックが地域内を循環して集荷する仕組みも作った。作った野菜を庭先に置いておくと、トラックが取りに来て、月末には通帳にお金が振り込まれるというわけ。おじいちゃん、おばあちゃんも現金なもの。自分の作った野菜がお金に代わることが分かると、もっと作ろうと頑張るようになる。小さなハウスを作ってみようかとか、次は何が売れそうか仕入れ担当者に尋ねてみたり。畑が広がり農業収入が増えれば、子供たちに農業を勧めてみようか、という機運にもなる。

　漁業でも大きな変化が起こった。

　市長が開いた会合の雰囲気は、当初は険悪だった。「直売所は観光業者と競合する」「赤字になったら誰が責任をとるのか」といった批判が続出したのだ。「鳥羽で獲れたものを鳥羽で食す」を実現するため、直売所を設ける意義を、私が丁寧に説明した。鳥羽市や、近辺に住む人たちの買い物の場にすること。市内のホテルや旅館、食堂、居酒屋が仕入れ先として利用し、鳥羽で獲れる新鮮な食材を、観光客に鳥羽に来て食べてもらうこと。そうやって、みんなで地域を盛り上げるための、地域流通の拠点とする考え方を伝えた。

「反対する者は、蹴とばしてでも俺はこれをやる！」

漁協組合長の鶴の一声で会合の潮目は一変、めでたく鳥羽マルシェの設立が決まった。組合長の指図で、漁協が鳥羽市内に直売所を持っているにも関わらず、多くの新鮮な魚を卸してもらえることになった。新鮮な魚が買える、食べられると評判になり、鳥羽マルシェは順調に立ち上がった。マルシェ設立を契機に、鳥羽市で獲れた野菜、魚が地域内で流通するようになり、関係する人々の収入が増え、鳥羽市と近辺に住む人たちが地元の食材を手に入れやすくなり、地域は元気になったと思う。

開所式で私も挨拶をさせていただいた。場違いと思ったが、市長からの依頼だったので、設立までのいきさつとマルシェの可能性を話した。そして市長には、五年間は我慢してください。新しい取り組みなので、形になるまで時間がかかります。しばらくは赤字が続くと思いますが、辛抱してじっくり見守ってください、とお願いした。

設立から四期目に鳥羽マルシェは黒字転換し、取り扱う地元野菜もあふれんばかりに。固定客向けの、野菜の通信販売も行うようになった。開所以来、一番の売れ筋は、もちろん鳥羽で獲れた新鮮な魚で、ずっと売り上げを伸ばしている。

従来の流通の仕組みに疑問を持ち、社会の変化に合わせて組み直すと、結構うまくいく。

地域農家のためにできること

鳥羽マルシェで得た経験は、津市高野尾町での新たな農産物直売所へと展開した。

二〇一五年の正月、高野尾にある（株）赤塚植物園の赤塚充良《みつお》会長宅に招かれ、顔なじみの志代ずしの大将が持ってきた寿司をつまみながら話したことがきっかけだった。

赤塚さんが朝散歩をしていたとき、知り合いの農家が田んぼのそばにたたずんでいるので「調子はどうですか」と声を掛けたところ、「農業をやめようと考えているんです」と返事をされたそう。農地整備により、きれいに整った市街地近郊の田んぼでも、もはや農業は無理なのか。若いころアメリカで農業研修を受け、村の仲間たちを先導して高野尾地域をサツキの一大産地にした赤塚さんは、大きな衝撃を受けた。

地域のために何かできないか。それが、私を自宅に招いて聞きたかったことだった。

そこで私は、鳥羽マルシェの話をした。地域内の流通を変えること、そのための拠点として、農家が収益性の高い野菜を売る直売所を高野尾地域に造ることを勧めた。

それから二年も経たない二〇一六年夏、三重県下最大規模の農作物直売所「朝《あさ》津《つ》味《み》」が高野尾に誕生した。津市近郊に住む人々が新鮮な野菜を求めに集い、レストランを営むシェフたちが野菜を仕入れる場となった。この直売所が、気持ちが挫けそうになっていた農家の人びとの希望の光となり、周辺地域で野菜を作る農家が増えた。

高度経済成長がもたらした格差

学生たちと農業、魚屋をやってみると、衰退した田舎でも、方法を変えるだけで稼げる可能性があることが分かった。

私の田舎は、日照量が多い温暖な気候で、リアス式海岸の豊かな海があり、限られた土地で生活を維持するための知恵としきたりを守ることで、農業、林業、漁業を糧に営々と人々が暮らし続けてきた。ところが、「もはや戦後ではない」と言われた一九五〇年代後半から様相が変わった。海外からも奇跡の急成長と驚かれた高度経済成長により、日本が豊かになるにつれて社会背景も変わっていったのである。

一九五五年から七〇年頃にかけて、日本中の田舎から、若者を中心に人々が一斉に都会へと移り住んだ。一気に食糧需要が高まり、都会に米、野菜、魚を売ることで田舎は潤った。これが、荒っぽくも元気な人たちがいた、私が子供の頃の記憶の背景だ。

都会への食糧供給を地方が競うようになると、産地間競争で価格が下がり、日本の生産農業所得が減り始める（一九七〇年頃）。食の欧米化で、日本人は魚よりも肉を好むようになり、パン食が増え米飯食が減った。そういったことが重なり、都市部の人たちの収入が増えていく一方で、農業や漁業に従事する田舎の人々の収入が伸び悩むようになった。

高度経済成長によって日本中が豊かになると、車や家電製品など、人々が欲しがる生活消費財の種類が増え、進学率の上昇に伴って子供への教育費が増大し、大学の学費も高くなった。人並みの生活をし、子供を育てるのに以前よりもお金がかかるようになったのだ。

こういった社会の変化に、まず田舎の人々がついていけなくなった。農業、漁業を生活の糧として田舎で生活することをあきらめ、農家や、漁師の長男までもが都市部へ移り住むようになった。私が中学校を卒業して田舎を離れた一九八〇年頃から、田舎の人たちは徐々に元気がなくなり、集落は衰退していった。

イノベーションで田舎は甦る

田舎は本当にダメになったのか？　この疑問をもとに学生たちと行った取り組みからは、やり方を変えることで、田舎でも収入を増やせることが分かった。過疎化と高齢化を理由に、田舎はダメになったと単純に決めつけるのは間違っている。そう思うようになった。

地域に在るものを組み直すことで富が生まれる。

イノベーションとは経済用語であり、「経済が停滞した時に、これまでのやり方を創造的に破壊し、新しい仕組みを組み上げる新結合を行うことで富を生み出すこと」とされている。
私の田舎では、時代が変わったために、昔からの農業や漁業が立ち行かなくなり、もはや住み続けられなくなった、と人々は思い込んでいる。本当にそうだろうか？
いろいろ試してみるとどうも違う。今までのやり方を見直して、その地域の「今」に最も適した組み合わせを試してみた。道方竈でキャベツを作り、近くのスーパーを通して売ると米の三倍の収入が得られた。漁港に水揚げされた魚を自分たちで津市に運んで売れば、漁師の取り分が三倍になり、安い値段で買えたと消費者にも喜んでもらえた。

やり方を変えただけである。

私たちは、時代が変化したことの本当の意味を理解せず、変化に適応することもせず、ただ諦めているのではないのか。地域で続けられてきた仕組みに盲目的にしがみつき、落ちていってるのではないか。

周りを見渡すと人々が減り、これまでの農業、漁業がダメになっている。一方では、新しくて便利なものが田舎にも入ってきている。なぜ、立ち止まって今までの考え方、やり方を創造的に破壊し、地域に新たに入ってきたものと最も良いと思う形で組み合わせようとしないのか。やってみると、富を生み出すことができる。キャベツの栽培、お福わけ市の取り組みから、そう確信するようになった。

私は、地域イノベーションを、「地域内での創造的破壊を伴う新結合を生み出すことで新たな価値を創造し、時代に適応した新しい社会を創造すること」と定義した。この考え方を研究し、教育する場として、三重大学に地域イノベーション学研究科という新しい大学院を構想し、その設立に関与した。

次章では、この大学院がどのような経緯で生まれ、どう展開したのか、ご説明しよう。

第四章
社長100人博士化計画始動

私が立ち上げた「トランスレーショナル医科学研究室」では二種類の学生が学んでいた。前章ではフレッシュな学生たちと農業や魚屋に取り組んだことを紹介したが、この章では社会人学生たちとの取り組みについてお話しする。彼らと試みたことが「地域イノベーション学研究科」の創設につながり、地域社会を変えていく切り口となった。社会人学生たちとの出会い、個々の活躍、「社長１００人博士化計画」に至る過程をご紹介する。

入学してきた社長学生たち

私の研究室は研究成果の社会還元を目的としているので、社会人である企業の社員に来てもらうのが良いだろうと考え、入学者を募るべく三重県内の製薬企業を訪問することにした。

最初に訪問したのが多気町にある（株）万協《ばんきょう》製薬で、代表取締役の松浦信男さんと面談した。中部経済同友会三重地区の集まりで講演を行った際に、百五経済研究所の雲井純社長（当時）から紹介されたのが彼だった。万協製薬本社の会議室でお会いし、研究室の内容を説明した上で、貴社の若手で有望な社員を社会人入学させませんかと話すと、松浦さんはこう言った。「信用できません」そしてこう続けた。「だから、まず私が入学して、その価値を確認したうえで社員を送ります」と。

つまり、会社のトップである松浦さん自らが、医学系研究科の博士課程に入学すると言う。万協製薬は海外との取引が増えており、松浦さんは取引先との面談で何度も苦い思いをしていた。名刺を渡す時、肩書にPh.D.（博士号）があるかどうかで先方の態度が変わるというのだ。中小の製薬企業が海外で信用を得るには、社長が博士であることがとても重要だと松浦さんは語った。

私もかつては博士号を持つ企業経営者であり、博士の肩書とともに自社製品を説明する時の相手の反応を肌で感じてきた。松浦さんとの会談を経て、私の研究室では地域企業の経営者に門戸を開き、博士号の取得を目指してもらおうと決意した。

二〇〇七年四月、松浦さんを含む七人の社長が、初の社会人学生として入学してきた。社長たちとは、まじめな議論もたくさん行ったが、人的な交流も深めていった。彼らは松浦さんの知り合いで、彼がひとり一人に声をかけて誘ってくれた。

松浦さんと同業の、大阪と奈良の製薬会社社長、松阪市の倉庫業から手広くビジネスを行っている社長、明和町にある羽毛素材メーカー社長、四日市の医療用機器製造企業の社長が博士課程に。松阪市の人材派遣企業の社長が修士課程に入学した。翌年には、唯一の女性として、マナー教育を行う企業の社長が加わった。

〝社長学生〟たちとは毎週金曜日に集まってゼミを開き、まずは順番に自社での取り組みを話してもらった。それぞれがどんな企業を運営しているのか、お互いを知り合う良い機会となった。次に、各自が話した内容について全員で議論する。自身の経験に基づく助言や、疑問に思った点を質問するなど延々と意見交換を繰り返す。午後六時から始まるゼミは、最初のうちは二時間くらいで終わっていたが、松浦さんが経営品質賞の審査に向けた準備を行う過程では、毎週、松浦さんから話を聞き、皆が帰る時間は十一時にもなっていた。

脂の乗った五〇代の社長たちが、夜更けまで熱い議論を積み重ねる。日々思い悩んでいること、外部からの意見を聞きたいことを俎上に乗せ、それぞれの経験を基にした意見をぶつけ合う。酒も飲まずに。時には青臭いと思えるような議論を戦わせるのは、ある種異様な光景かもしれないが、このゼミでの取り組みが、いろいろな角度から物事を見ること、不得意なところを自分では見過ごしていたこと、あいまいな考え方では本質をとらえられないことに気づかせてくれ、ともに学んだ時間はとても有意義だった。

自社の取り組みを晒す

「社員を募集しても応募がなかったので、訪ねてきた近所の人を採用したんです」

そう話した松浦さんは、神戸市長田区で父の製薬企業を引き継いだが、阪神・淡路大震災で会社が全壊し、紆余曲折を経て三重県多気町で会社を復興した。奥さんと友人の三人で会社を再開したものの社員が集まらず困っていたところ、引き籠っていた近所の若者が、親に言われたからと訪ねてきたので採用したと言う。そんなふうにしてポツポツやってきた人を採用することで、会社を再興していった経緯をみんなで聞いた。

　そんなやり方で会社は上手く回ったのか？　社長でもある他の学生たちは疑問に思ったが、それでもちゃんと回る仕組みを作るのが松浦さんのすごさだ。社員に誇りを持たせるため、彼はマスコミを利用した。松浦さんの表彰される姿がテレビや新聞で紹介されると、社員は「すごい会社で働いてるんやな」と近所の人から言われるようになる。マスコミへの露出が増え、自ら著書も出すことで、社員が自分の会社に自信と誇りを持てるよう仕向けたのだ。社員食堂に漫画本をたくさん配置し、自由に読めるようにしていることも話してくれた。会社に来るのが楽しいと思う気持ちが、徐々に愛社精神に代わっていくと。

ダラソンと名付けたユニークな取り組みも。会社を出て、町の中を歩いて周回する間に、ゴミを拾うのだそう。ダラダラ歩くマラソンみたいな行事なのでダラソン。洒落の利いているところが松浦さんらしいが、きっと真正面から地域貢献を行うことへの気恥ずかしさを隠す意図があるのだろう。社員たちはレクレーションとしてダラソンを楽しみながら、町の役に立っている気持ちになる。

「松浦さんは経営者として天才だ！」いつしか私のゼミでは、そんな目で彼を見るようになった。社長たちが、苦労を含め自身が行っていることを衆目に晒すことで、お互いを深く知り合い、信頼できる仲間になった。

会社経営という重責を負う者は、みな孤独なのである。

（株）万協製薬と、松浦信男社長。松浦さんはフィギュア・コレクターとして知られ、社屋の一角を「万協フィギュア博物館」として公開している。

社長学生たちとはさまざまな議論をしたが、いろんなレクリエーション行事も共に楽しんだ。温泉宿に合宿し、湯船の中で議論したこともある。ボウリングで対抗戦を行ったときは、私の組が優勝した。学生証が手に入ったことで、「学割で電車に乗った」「映画を学割で観られた」といった楽しいエピソードも聞かれた。大学祭で、社長と学生がガチンコで議論するイベントも行った。社長学生たちは、忙しい日々の合間に、思ってもみなかった二度目の大学生活を満喫していた。

「ゼミをもっと拡大したら」誰からか提案が出されたので、学生たちの知人である会社経営者や、三重県庁と合同で行った起業塾に参加した経営者、地域リーダーの育成に尽力していた市町の職員、私たちの活動に興味を持つ一般の学生たちも参加できる「西村ゼミ」へと発展した。

この取り組みが、やがて「地域イノベーション学研究科」の設立、発展へと相互作用していく。

新大学院のアイデアはないか

三重大学大学院の医学系研究科教授に任用されて間もない二〇〇七年の春、学内の歩道を歩いていたら、豊田長康学長（当時）と偶然お会いしたので、少し立ち話をした。

すると学長は、こんな話を切り出された。

「新しい大学院を創ろうと思うんだが、文系と理系が融合するような何か新しいアイデアはないかな。西村先生、考えてくれる？」

しばし黙考の後、私はこう答えた。「それならば、地域の中小企業とともに人を育て、地域社会を変えていくような大学院はいかがでしょうか」

その晩さっそく自身の考えを一枚のポンチ絵にまとめると、翌日それを携えて学長室のドアを叩いた。これが二年後、「地域イノベーション学研究科」という新しい発想の大学院設置へと繋がっていく。

三重大学は、津藩の藩校であった「有造館」を起源とするとされ、三重県内の唯一の国立大学として一九四九年に設置された。二〇〇四年に国立大学が法人化されると、各大学が自主的・自律的に大学運営を行い、教育研究水準を向上させることが求められるようになった。私が三重大学に関わり始めたのは、まさにその時期であった。この日、豊田学長に呼び止められたのは、法人化後の三重大学に、何か際立った特徴を持たせたいとのお考えだったのかもしれない。

豊田学長の指示で、奥村克純研究担当理事を責任者として、鶴岡信二学長補佐（ともに当時）と私の三人が、新大学院の準備を担当することになった。

文科省からのクリスマス・プレゼント

国立大学法人が新たな大学院を設置する場合には、文部科学省の大学設置・学校法人審議会（設置審）の審査を受け、認可される必要がある。総務部長をトップとする事務組織のチームが編成され、奥村・鶴岡・西村を支える体制も整い、毎週水曜日の午前に定例会議を行いながら、設置審への申請に向けた作業が進められた。

新大学院のコンセプトを固めるための議論を重ね、私がつくった叩き台を基に、鶴岡先生と奥村先生が提案した「地域イノベーション学研究科」の名称で、具体的な教育理念、カリキュラム、教員体制の検討がなされた。

水曜日の会議で議論し、まとまった考えを、私が文章化してイメージ図に落とし込み、その資料を元に次の会議で修正を行い、次回の内容について話し合う。その繰り返し。豊田学長の承認が取れたところで、文科省に出向いて新大学院の構想を説明した。二〇〇七年末だったと思う。手ごたえは良好で、その後は文科省に定期的な連絡を入れつつ準備を進めた。文科省からは、申請書類は統一感が重要なので、記述は一人で行うことが望ましいと指摘を受け、膨大な資料を、大学院で学んでいない私が作成することになった。

大学院を知らないことが、功を奏したところもある。会議で合意した内容を具現化するための教育法や体制などを、自由な発想で書き進められたからだ。もちろん、事務方が用意してくれた「設置審虎の巻」と称されるような書籍に記されていた条件、規定を守りながら慎重に書き上げたが。

文科省の担当者が年度末の人事異動で全員入れ替わり、新しい担当者に説明し直すといったアクシデントもあったが、二〇〇八年五月末、設置申請を済ませることができた。先方から提出書類への質問や修正の指示が入ると、学内会議で対策を立て書き直し、再提出。さらなる質問や修正の指摘が入れば、また学内会議を経て書き直し、提出する。

直接、文科省へ出向いて説明することもあった。秋頃だったか、学生を連れて中国へ研修に行っていた時、「二日後に文科省に来て説明するよう求められた」と大学の担当者から連絡を受け、同行していた助教に学生たちを任せて急遽帰国し、文科省へ出向いたこともある。こういったやり取りを重ねて、最終版を十一月二〇日に提出することができた。

承認の結果を受け取ったのはクリスマス・イブ。

「クリスマス・プレゼントやな！」学長や準備チームと喜んだ。

無知ゆえの強み

文科省からのクリスマス・プレゼントには、予想外の内容も含まれていた。教員二名の増員が認められたのだ。

大学運営のために国から措置される予算（運営費交付金）は毎年漸減されており、三重大学も法人化後は教員数を減らしてきた。これが常識だったので、新大学院を設置するための教員確保には苦慮した。学内での配置転換で何とか必要数が確保できる、と申請書には書いたが、より高い効果を得るためには、三重大学にはいないタイプの教員、つまり企業で事業化のマネジメントと海外で働いた経験を持ち、博士号を持つ人材が必要、と文科省には要求していた。ダメ元という気持ちで書いたのが認められたのだ。私たちは、晴れやかな気持ちで二〇〇八年を終えることができた。

教員増と、そのための運営費交付金の加算が認められることは滅多にない。毎年度末に、文科省で国立大学法人の次年度予算配分の説明会が開かれるが、二〇〇九年度の説明会では、地域イノベーション学研究科の設置が重点事項に上がった。全ての国立大学で、年に数人認められるかどうかという教員増を、地方大学で二名も認められたのは、周囲から驚きとして捉えられた。説明会に出席していた大学の職員は、「三重大はどんな裏技を使ったんだ？」他大学の担当者たちに訊かれ、鼻高々だったらしい。

地域イノベーション学研究科の創設から二年ほど経った頃、ある地方国立大学の教授が私を訪ねてきた。彼の大学でも大学院を新設したい、それも博士課程がある大学院を創りたいとのこと。なぜ私に？　と思って尋ねると、彼は言った。

「設置審にかける相談に文科省へ行ったら、三重大学に行って聞いてこいと言われたので」

文科省の担当者は、こうも言ったらしい。「地方国立大学には、博士課程の新設は認めない方針となっている。ただし、それを打ち破った大学がある。それが三重大学だ」と。

一九九〇年代の日本は、欧米諸国に比較して博士号取得者が少ないことが問題となっていた。その対策として始まった「大学院重点化政策」の結果、博士課程の定員数が急増し、それに伴って修了者の数も急増した。一方で、二〇〇〇年頃にはその反動から、博士号は取得したものの大学教員などの安定した職に就けないという、いわゆる「ポスドク問題」が表出した。こういった背景から、文科省では、地方国立大学における博士課程の新設を推奨しない方針だったようだ。

私たちはそんなことも知らないまま、無謀にも博士課程を持つ大学院の設置を文科省にぶつけたのだ。無知ゆえの強みと言うべきか。私がまっとうにアカデミアの世界を歩いてこなかったことが、功を奏したと言えるのかもしれない。

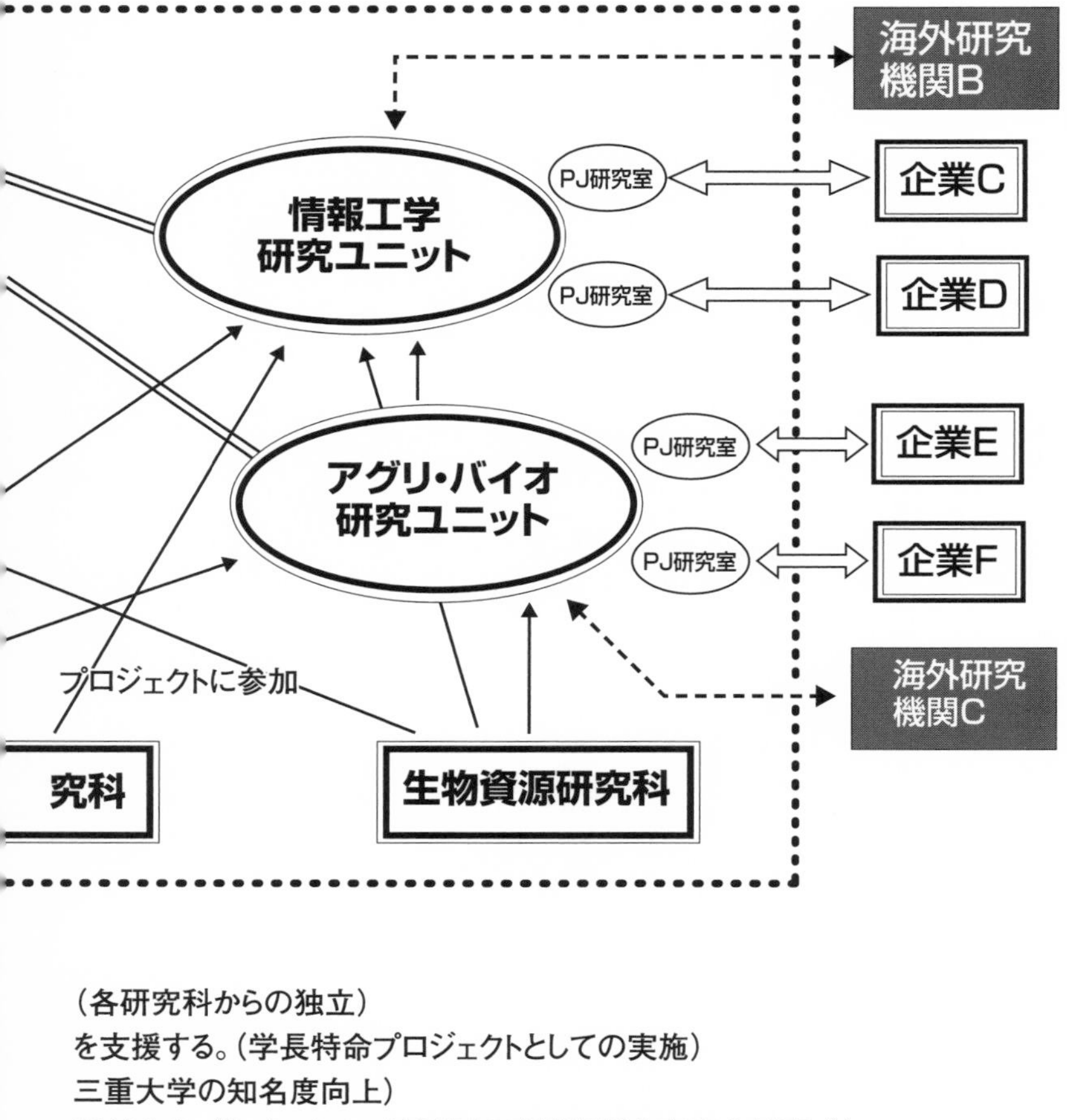

（各研究科からの独立）

を支援する。（学長特命プロジェクトとしての実施）

三重大学の知名度向上）

貢献する。（ミッション2：地域圏の産業振興と高度人材育成）

行う。（厳格なコミットメント管理）

算を配分する。（ストック資金とフロー資金の分離）

究科にて学位審査を受ける。（研究科の継続性と連携）

（バイ・プロフェッショナル教育の実施）

特命プロジェクト大学院構想（案）

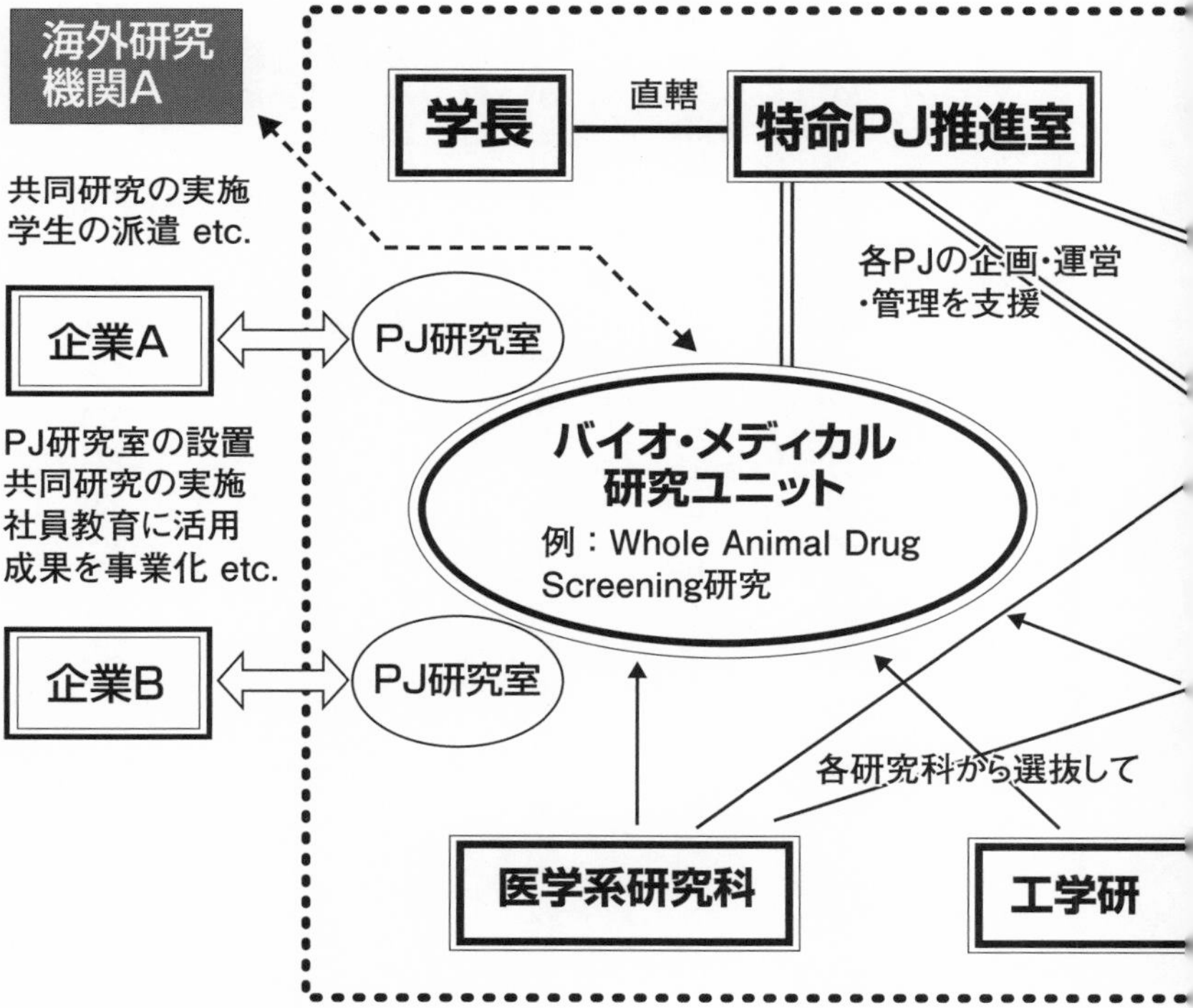

特命研究プロジェクトの考え方

- ・学長命にて学科横断的に研究チームを選抜し編成する。
- ・学長直轄に設置した特命PJ推進室が企画・運営・管理
- ・世界トップクラスの研究成果を達成する。（ミッション1：
- ・三重地域圏企業との連携により人材育成と成果還元に
- ・時限プロジェクトとして成果目標の設定と評価を厳格に
- ・外部資金の導入を前提とするが施設・機器には学内予
- ・学部生、大学院生は基礎研究に従事することで出身研
- ・大学院生にはビジネス・マネジメント教育も提供する。

地域イノベーション学研究科発進

経済のグローバル化が叫ばれるようになった二〇〇七年頃は、大企業の海外への工場移転などの影響を受け、地域の中小企業も海外に打って出ることを求められていた。また、主要な顧客である大企業の主力工場が三重県から転出すれば、自前で新たな顧客を探し出さねばならない。そんな状況に地域の企業は追い込まれていた。

しかし現実には、「開発力の脆弱さ」、「人材不足」、「経営戦略の欠落」などが、地域企業の経営改革を進める障害となっていた。そんな社会背景を受け、地域の産業界からは「新事業を開拓する人材の供給」と「新事業創造に繋がる共同研究」への協力が、三重県唯一の国立大学である三重大学には求められている。

私はそのように認識し、豊田学長に示したポンチ絵でも、地域の産業界が抱える問題を共に考える共同研究を行うとともに、解決に向けた取り組みに協力していくことをテーマとした実践的な教育を行うことで、三重大学の研究力と教育力を、地域産業と共に伸ばすエンジンとなる大学院とすることを明記した。

地域イノベーション学研究科は、主に学部から進学してくる学生たちを対象に教育を行う。彼らを「プロジェクトマネジメントができる研究開発系人材」と「地域に０から１を創造できる社会起業家（ソーシャル・アントレプレナー）人材」に育成するためだ。

これを大学院の基本としたが、同時に地域企業で働く社会人の学び直しの場としても活用してもらうことを想定した。私は医学系研究科での経験から、地域イノベーション学研究科でも、地域企業の経営者に博士号取得を目指してもらうのが良いと考えていた。

豊田学長との立ち話から構想し、一年余の準備期間を経て二〇〇八年末に「地域イノベーション学研究科」の設置が文部科学省から認可されると、私はさっそく三重県商工会議所青年部連合会の幹部の方々と会ってみることにした。目的は大学院への入学勧誘だ。

面談の際には、不審そうな表情を浮かべながら、慎重な物言いで質問を投げかけられ、ぎこちなく意見交換を行った記憶が残っている。

当時、商工会議所青年部連合会の中心的人物だったのが、「おにぎりせんべい」で知られる（株）マスヤグループ本社社長の浜田吉司さんで、後に地域イノベーション学研究科博士後期課程の第一期生として、仲間を連れて入学していただいた。

浜田さんには、経営者が博士号を取る意義を感じ取ってもらい、その後の活動にも多大な協力をいただいている。松浦さん、浜田さんという求心力のある経営者に、「地域企業の社長を博士に」という考えを受け入れてもらえたことが、地域イノベーション学研究科の大きな成果へとつながっていく。

なお、私は二〇一六年三月末まで医学系研究科に在籍しながら、地域イノベーション学研究科の構想から設立までを担当し、その後は教育と運営を支援していた。新年度を迎えた四月から、同科のプロジェクトマネジメント教育を担当する教員（ＰＭ教員）として教育と研究を担当している。つまり、同科の設置が認められた時に増員された教員枠に、私自身が納まることになった。

このようにして始まった、地域企業の経営者を博士にする取り組みが、どのように地域社会を変えていったのか。具体例をいくつかご紹介しよう。

可能性を秘めた社長たち

二〇〇九年四月、第一期生として地域イノベーション学研究科に入学した浜田吉司さんは、伊勢を代表する老舗企業「赤福」の血脈でありながら、「同族経営を同志経営に変えることが事業承継に有効である」との理論を論文にまとめ、それを実践することで業績を伸ばした。後継者不在で事業継続が困難となった地元企業に、自身が育てた経営者を送り込むことで、見事にこれらの会社を存続させたのだ（巻末のてい談を読まれたい）。

浜田さんの後には、（有）二軒茶屋餅角屋本店の鈴木成宗さん、（株）浅井農園の浅井雄一郎さんなどが入学し、大学院での研究成果を基に事業を成長させた。

鈴木さんは、四〇〇年以上続く名物餅屋の跡取り社長で、クラフトビールの製造販売を開始したものの苦戦していた。友人である浜田さんの誘いもあり、新しいクラフトビールを科学的に作り上げるため、地域イノベーション学研究科に入学。大きな声では言えないが、伊勢神宮別宮の森から単離した（内緒で）酵母を分離して、神宮の神秘性を醸し出したクラフトビールを生み出した。酵母たちが醸し出す厳かな香りを科学的に分析し、最適にブ

学位論文を手にする浜田吉司社長。おにぎりせんべいのマスヤほか、
10社の企業グループを牽引する。マスヤグループ本社で。

自著を手にする二軒茶屋餅角屋本店の鈴木成宗社長。自らの代で立ち上げたクラフトビール会社、伊勢角屋麦酒の工場で。

レンドすることで新ブランドのクラフトビールを開発し、事業を拡大していったのだ。鈴木さんの躍進は、彼の著書『発酵野郎！（新潮社）』に詳しいので、ぜひご一読を。

浅井さんは、津市で何代も続く植木屋の跡取りとして事業を引き継いだ。三〇歳になる直前に、東京のベンチャー企業などでビジネスマンとしての修業を終え、故郷に戻った。初めて自社の帳簿を見た時は唖然としたらしい。

そこで、修業時代に磨いたビジネス・コンサルタントの視点で自社事業を見直し、第二創業としてトマト栽培を始めていた。そんな頃、浅井さんが私を訪ねてきた。相談に乗っているうちに、新品種のトマト開発のモチベーションを持って入学することに。浅井さんはその後、大きく成長し、日本で最も高収益なトマト栽培ビジネスを実現するに至った。

そのいきさつは後述したい。

しんどくて楽しかった三年間

二期生として入学してきた社会人学生に、志摩環境事業協業組合の宝門豊さんがいる。

志摩環境は、英虞湾に面した大部分の市域でし尿収集運搬と浄化槽清掃を行っている組合で、宝門さんは大学を卒業後、大手水処理機器会社での一〇年間の修業を終え、後継者として志摩に戻った。英虞湾は、かの伊勢志摩サミットが開催された、リアスの海岸線に幾多の小島を浮かべる景観が美しい観光地で、温暖で波静かな地形を生かした真珠養殖が一九八〇年代までは隆盛を誇ったが、その後徐々に衰退し、今や負の遺産として湾底に大量のヘドロを堆積させている。

豊かな自然環境で育った宝門さんはそんな状況を憂い、複雑に入り組み、平地が少ない場所でも十分な水処理ができる仕組みを導入したいと考えた。その思いを込めた提案で三重県の補助金制度に応募したとき、審査員であった私は初めて宝門さんとお会いした。技術の確かさと誠実な人柄は感じたものの、いかんせん説明が下手だった。他の審査員の反応は総じて冷たかったが、私は彼の情熱に可能性を感じた。

最終的にその提案は採択されることとなり、補助金を使った本格的な開発が始まった。宝門さんの、大手企業での研究開発経験は十分だったが、田舎の小さな組合の開発力には限界があり、どうもうまくいかない。そんな悩みを抱いていたとき、松浦さんの紹介で、

英虞湾の水質保全のため、高性能な排水浄化装置を研究開発した志摩環境事業協業組合の膜事業部統括部長で、日本エレメント（株）社長の宝門豊さん。

専門家の指導の下でこの技術を完成させたいとの希望を持って地域イノベーション学研究科に入学。工学研究科の先生方の協力を得て精力的に研究開発を進め、狭い場所でも効率的な汚水処理ができる膜分離装置を完成させた。この成果を基に博士号を取得するとともに、三重大学との共同研究成果として大々的に記者発表し、製品の販売を開始した。そのシステムは志摩市内の公共施設、民間のホテルなどに採用されただけでなく、大手プラント企業との連携にも成功。日本国内からアジアに至るまで製品を売りまくった。そうとう儲かったようだが、売上の一％を三重大学に還元する義理も果たしてくれている。

宝門さんは、地域イノベーション学研究科に入学する前から西村ゼミに参加しており、先輩の社長学生、特に彼が師と仰ぐ松浦さんと私との議論に圧倒されたらしい。夕方からの議論は、終わりが日を跨ぐこともあり、終電が過ぎても続ける姿に驚いたそうだ。大学院での三年間が、人生で最もしんどかったが、同時に最も楽しい時間でもありましたと振り返っている。

宝門さんも、地域イノベーション学研究科を経て事業を大きく成長させた一人である。

隼人芋と柚子を自社商品に

浜田さんの紹介で、マスヤグループから（株）伊勢萬の中山育之《やすゆき》専務（当時）も入学してきた。伊勢市小俣町で焼酎やリキュールを製造販売する同社は、内宮前おはらい町の小さな酒蔵で、清酒も醸造販売している。

焼酎の発酵原料として地元の食材を使うことを考えた中山さんは、志摩地域で海女さんのおやつとして古くから食べられてきた「きんこ」の利用法を考えた。きんことは、隼人《はやと》芋から作られる干し芋で、手作りのため生産量が少なく、専ら地域内で販売されている。

製造工程で出る廃棄物（芋の切れ端など）が有効利用できれば、農家の収入増に貢献できるのではと考えた中山さんは、地域の人たちと協力して『本格きんこ焼酎 志州隼人』を生み出し、その取り組みを大学院での研究課題とした。中山さんは、地域資源の利用に執念に近いものを持っており、きんこ芋の前には、柚子の利用にも取り組んでいる。

キャベツ・プロジェクト（82P）の後、私はフレッシュな学生たちと農業分野で、実はもう一つ別の取り組みを行っていた。

松阪市で食用油を製造する辻製油（株）の辻保彦社長（当時）に、三重大学で講義していただいた時、同社が高知県のＪＡ安芸の依頼で、果汁を絞った後に廃棄される柚子の果皮から油を搾っている話をうかがった。柚子栽培が農家の良い収入源になることを知ると、高知県でできるなら三重県でもと考え、ＪＡ安芸から柚子の苗木を分けてもらい、松阪市嬉野町の耕作放棄地に植えていることも、辻さんは講義の中で語られた。目的は、地元農家の収入を上げることだ。

　辻さんが、これを広めたいと言われたので、私たちも協力することにした。聴講していた学生たちに声をかけ、大台町、多気町などの自治体と農家の協力を取り付けると、柚子の苗木を一万本植える取り組みを始めた。二〇一〇年頃のことである。数年後、この取り組みを知った中山さんが、大台町の柚子を使った日本酒リキュール『おかげさま　にごり柚子』を商品化した。地域を支えたいという、粋な計らいと言えよう。

　伊勢萬の専務からマスヤグループ内の（株）伊勢萬トレーディング社長となった中山さんは、海洋汚染につながるマイクロプラスチックを少しでも減らそうと、海外から生分解

（株）伊勢萬トレーディング社長の中山育之さん。マリンスポーツや生き物を愛するゆえにエコ志向が強い。

性のストローを輸入。THE EARTH CREW というブランド名を与え、自店で使用するストローを全てこちらに切り替えたほか、エコ意識の高い飲食店への販売を始めている。

内宮前の食堂がＩＴ企業に

その後の入学者で最も成長したのが、（有）ゑびやの小田島春樹さんだ。

小田島さんは、伊勢市の内宮前おはらい町にある百年以上続く食堂を娘婿として引き継ぎ、翌日の顧客数を予測するＡＩ（人口知能）を開発して店に導入することで、売上と利益を大きく伸ばした。

私は三重県と一緒に、若手経営者向けのＭＩＥ経営者育成道場「西村塾」を二〇一一年から三年間行ったが、その第二期生として参加したのがきっかけで、小田島さんは地域イノベーション学研究科へ入学した。第一期生だった女性経営者に連れられ、初めて私のところに来た時は、まだ二〇代。保護者同伴で入学式にやって来た大学生のように委縮していたが、少しやんちゃそうな若者という印象だった。西村塾の頃は、まだゑびやを継いだばかりで、なんとか売り上げを伸ばそうと試行錯誤していた。

西村塾で、その方法について何度も議論を重ね考え抜いた結果、食材を外国産から三重県産に変えることでメニューを大幅に見直し、客単価を上げることにまず成功した。伊勢参宮に来る人たちは、ハレ（非日常）を期待しており、安いだけの食堂でありきたりの食事をしたいのではなく、伊勢ならではのちょっと贅沢なものを食べたいと思っているはず。北海道生まれの小田島さんは、旅行者心理を正しく嗅ぎ取り、見事にお客さんの心をつかんだ。そして小田島さんは大学院を受験する。

入学に際し、彼は「明日の顧客の数が分かれば効率が上がる」とのテーマを考え、研究に取り組むことにした。大学院に入ってからの小田島さんの成長には目を見張った。ＡＩによる顧客予測を見事に成功させ、その成果を事業運営に取り入れることで、売上と利益を大幅に伸ばしていったのだ。

小田島さんのチャレンジは続く。

ゑびやでの経験を基に、小規模事業者向けに顧客予測のコンサルタント・サービスを行う新会社として「ＥＢＩＬＡＢ」を設立。食堂の二階を改装し、先進的なＩＴ企業を伊勢

ゑびや社長の小田島春樹さん。内宮前おはらい町の食堂ゑびやの2階が、
顧客予想のコンサルティングを行うITオフィスEBILABとなっている。

神宮前の土産物屋街に誕生させた。ここを拠点に日本全国のＩＴエンジニアとつながり、革新的なソフトウエアとコンサルティングサービスを、大手ＩＴ企業と連携して展開していく。小田島さんの活躍は、テレビや新聞など多くのメディアで紹介されているので、ご承知の方もいることだろう。

熱が欲しい農家と、熱を捨てている企業

次に紹介する浅井雄一郎さんの事例で、覚醒した社長が持つ爆発力のすごさに触れていただこう。

浅井さんとの出会いは、彼が母親と二人でトマト栽培を始めて間もない頃だった。二〇一〇年に地域イノベーション学研究科へ入学された浅井さんの研究課題は、トマトの品種改良を遺伝子レベルから考察すること。私は指導教員ではなかったが、折々に相談相手となった。

入学した年の初夏だったと思うが、彼から「ハウス栽培に要する冬場の暖房費が高いの

で困っている」との相談を受けた。私は、交流があった辻製油（株）の辻保彦社長（当時）から、夜遅くに津市で寿司をつまみながら聞いた話を思い出した。辻さんと私は、年齢が親子ほど離れているが、良き飲み友達である。

　辻製油は、食用油を搾油製造する国内大手の食用油製造企業だ。食用油は、大豆、菜種などを原材料として、ボイラーで焚いた蒸気を使い搾油する。辻さんは、搾油後に出てくる約九〇℃の熱湯を、毎日大量に捨てているのをとてももったいながっていた。「熱を欲しがっている農家」と「熱を捨てている企業」。両者が連携すれば、共に課題が解決されるのでは。そう考えた私は、浅井さんを辻さんに引き合わせることにした。

　浅井さんとは家が近所だったので、休日に自宅へ来てもらい、辻さんと会う心得を伝えた。辻さんは二代目として事業を引き継ぎ、会社の業績を大きく伸ばした人なので、新規事業では利益一億円を基準としている。農業と工業では考え方が違うので、工業界の目線で事業プランを作るべきと。

　一週間後、浅井さんが素晴らしいビジネスプランを作成してきたので、さっそく辻社長との面談をセットした。辻さん宅の応接室で三人での会談が始まると、三〇分後には共同事業を行うことで合意がなされた。

二人の出会いから二年後の二〇一三年、辻製油、浅井農園、三井物産の三社が株主となり、うれし野アグリ株式会社が設立された。辻製油の搾油工場に隣接する二ヘクタールの水田がトマトを栽培するハウスに生まれ変わった。オランダから最新の設備と管理システムを導入し、辻製油から排出される熱湯と余剰蒸気を利用する、最先端農業の仕組みが出来上がったのだ。これにより反収二〇〇〇万円という、日本で最も収益性の高い農業が実現した。稲作の実に一〇〇倍以上である。

私は、南伊勢町で取り組んだキャベツ栽培、津市の大門広場で行ったお福わけ市の経験から、「地域内での創造的破壊を伴う新結合を生み出すことで新たな価値を創造し、時代に適応した新しい社会を創造すること」を地域イノベーションとして定義した。

うれし野アグリの取り組みは、まさしくその代表的な事例となった。

辻社長はもともと斬新な考え方をされる人で、すでに独自の地域イノベーションを実践されていた。地域の山林が衰退していく姿を憂い、ボイラーで焚く熱源を、石油から間伐材を破砕したチップに変えていたのだ。この取り組みで、地域林業に新たな収入源が生まれ、辻製油もコスト削減を図ることができた。

林業が衰退し、森林には価値がなくなった。工場で使用するボイラーの燃料は、石油が当たり前。こういった先入観、固定観念を創造的に破壊することで、「森林資源」を「搾油工場の蒸気製造用ボイラーの熱源」として利用する「木材チップ×搾油工場」の新結合を行い、地域社会と企業の両方に新たな富を生み出されていた。

これも地域イノベーションの好例である。

覚醒した社長の爆発力

浅井さんの躍進は、まだ止まらない。

うれし野アグリの実績を評価した株式会社デンソーが、自動収穫ロボットの開発を浅井さんに持ち掛けてきた。浅井農園に設置した研究用の実験ハウスで共同開発を進め、二〇一八年八月、両社が協力して株式会社アグリッドを創業。生鮮野菜の生産販売と、大規模ハウスにおける次世代施設園芸モデルの開発、実証を行う事業を開始したのだ。

熱が欲しい農家と、熱を捨てている企業が手を結ぶ

辻製油（手前）から出る温水を、トマトを栽培するハウスの暖房に使用する「うれし野アグリ」。

農業の近代化を押し進める浅井農園の浅井雄一郎社長。

この年、浅井農園を見学した安倍晋三首相（当時）からは、「浅井さんのような若手農家が五〇人いれば、日本の農業が確実に変わる」との言葉をいただいている。

浅井さんは二〇一九年六月、ニュージーランドにある世界最大規模の農業生産企業ゼスプリ社とキウイ生産で提携し、二〇二二年秋からの収穫を目指す、本州最大級のキウイ農場の造成に玉城町で着手した。

浅井さんと辻さんの、その後の展開がまた見事だ。二〇二〇年四月、うれし野アグリはＬＥＤ照明を導入した新しい栽培施設を増設した。その理由を浅井さんに訊いてみた。

「植物は水と光と適切な温度で成長します。温度の問題は辻製油さんとの連携で解決しましたが、光が少なくなると生産性が落ちてしまう。日照時間の短い冬場に収穫量が減ると、働き手であるパート従業員に休んでもらうことに。パートさんたちには子育て中の若い女性が多く、彼女たちは一年中、安定して働きたい希望を持っています。そこで、冬場の日照量を補うためにＬＥＤ照明を導入したんです」

地域社会が抱えていた、子育て世代女性の安定した働き場所がない、という問題に明快な解決策を示したのだ。

出会ってからわずか一〇年で浅井さんはここまで成長した。初めて会った時には数名でトマト栽培を行っていたが、今や浅井農園グループの従業員数はパートさんを含めて五〇〇名を超える。トマトだけではなく、農業支援の仕組みと機械を作るようになり、世界トップ企業とキウイ栽培まで。覚醒した社長の爆発力は凄まじい。

社長１００人に博士号を

医学系研究科時代に、社長たちが大学院で議論を重ねる毎に変わっていくことに手ごたえを感じた私は、地域イノベーション学研究科へと結びつけた。同科でも、社長たちが自らの課題を持ち込み、問題解決に向かってともに学び、議論することで覚醒していく姿を目の当たりにした。

地域イノベーションというキーワードで地域企業の社長が覚醒すると、当然ながら経営する会社が変わり、働く社員たちの意識も変わっていく。こういった社長が１００人規模で現れれば、きっと地域社会は大きく変わるに違いない。

まずは議論ありきだが、それだけでは問題解決に辿り着けない。自身の考えを理論として伝えられるスキルが必要だ。それには、博士号を得るという目標がわかりやすい。

博士号はPh.D.と英語表記されることがある。フィロソフィー・オブ・ドクターの略称で、哲学博士という意味だ。理路整然と考え、まとめる力を持つ人であることを示す称号であり、日本人の多くが思いがちな、「専門知識を持つ人」とは若干ニュアンスが違う。どの専門から登ったとしても、その行程で培われた「考える力」が、ある高みを超えた人に与えられる証が、博士号であると私は捉えている。

地域イノベーション学研究科で学ぶ社長たちには、常々考える力のある人になってもらいたいと思い、学んでもらっている。経営者はそもそも事業を成功、継続させるため日頃から懸命に考えている。ただ、経験に基づく我流で行っている可能性が高い。客観的に自分を見ることに慣れていない社長たちが、理論的に考えを組み立て、明瞭な結論を導き出し、確信をもって行動することが大切だ。その訓練を大学院では、繰り返し議論することで行っている。その仕上げの鍛錬が、論文を書くことだ。

学術論文は学術誌に投稿し、二名の査読者の評価を受けて受理となり、掲載されるのが一般的だ。地域イノベーション学研究科では、博士課程の修了要件に、最低一報の学術論文が学術誌に掲載されることを定めている。これは社長たちには大きな壁である。研究課題に対して調べ、考察した結果を緻密に積み上げて論文をまとめ、その学術的な価値を査読者に認めてもらう。この他流試合ともいえる戦いに臨むことは、社長たちをもう一段上の高みに登らせるために、間違いなく有効なステップである。

学術論文を元に、最後は博士論文という壮大な文書にまとめることで、自身が研究を通して考えた成果とする。社長たちの中には、社員に自らの経営哲学をつなぐため、博士論文を活用したいとの希望もあったので、「考察の章」で、その思いを論理的に記述することも勧めている。さながら、江戸時代の豪商の主が、跡取りへ家訓を託すように。

社長たちが、博士号取得を目指して自身に向き合い、格闘し、覚醒していく。彼らとの大学院での交流を通して、私はその意義と価値に確信を持った。

こうして私は、「社長１００人博士化計画」を標榜するようになった。

博士号は、世界に通じるパスポートだ。地域にイノベーションを巻き起こした社長が、世界に打って出る。グローカル（Global ＋ Local）な社長が増えれば、地方切り捨て、都市への一極集中といった構図はなくなっていくだろう。

地域イノベーション学研究科を巣立ち、博士号を取得した社長は十数名（二〇二一年現在）。大学院には今も約二〇人が在籍している。

１００人への道程はまだ遠いが、一人ずつ増えていくことで、地域は着実に良くなっていく。そう信じて、これからも「社長１００人博士化計画」を進めていきたい。

第五章

博士社長たちと拓く
新しい地域社会

多業種に広がる社長学生

地域イノベーション学研究科で学ぶ社会人は、創設から一〇年以上を経過して徐々に変化した。当初は、有力な地域企業の社長たちが率先して入学してくれた。彼らは大学院での学びと研究を通して自社事業の総括を行い、例えば浜田さんはそれを経営哲学へと昇華させ、事業を拡張させている。

浜田さんの影響を受け、入学してきた浅井さんや鈴木さんなどの有望な若手、中堅の社長たちは、自社の事業に必要と考えた新たな技術、仕組みを見出すことに大学院で取り組み、見事な結果を生み出した。

地域イノベーション学研究科の活動を評価した三重県からの依頼で、私は次世代のリーダー育成を目指す、若手経営者向けの経営塾を二〇一一年から開始している。

この取り組みで見出した有望な人材が、地域イノベーション学研究科に入学してくるようになった。代表例が小田島さんで、今や行政と連動した地域リーダー候補への教育が、大学院への入学希望者掘り起こしにつながっている。

二〇二一年現在も、多様な人たちが地域イノベーション学研究科で学んでいる。

南伊勢町で伊勢真鯛を養殖する漁師、Ｍ＆Ｄにより中小規模の印刷業のグループ化を目論む社長、中堅自動車部品製造企業の創業家の後継者、シェア・ワーキングスペースの開設を目指す起業家、四日市の老舗すき焼き店の女将、津市近郊の千年続く村で稲作を行っている元エンジニアの農家、三重県内大手学習塾の経営幹部……。

大学院で学ぶ人たちの顔ぶれは多士済々である。

紀北町リーダー研修の成果

ひょんなことから地域リーダーの育成にもかかわるようになった。紀北町が県庁と行っていたリーダー研修を引き継ぐことになったのだ。頼まれると断れない性格なので、後先考えずに引き受けて後悔する悪い癖があるが、この取り組みは面白かった。

第一章で書いたように、昔の田舎では一定年齢になった若者は集落の青年団に入ることが決まりで、青年団活動を通して地元で生きる覚悟を身に付けていった。しかし、過疎化により青年団がなくなった。とはいえ、田舎にも数少ない若者が残っており、彼らは孤立している。この状況を改善するべく、紀北町はリーダー研修を開始した。

役場の職員が町中を歩いて若者を探し、彼ら、彼女らを集めて町のことを考えてもらう。その集まりを通して若者たちが知り合い、ともに活動することで、町を盛り上げてもらいたいというのが町役場の願いだ。

その思いに応えて二〇一一年から引き受けた。二週間毎に二〇人程度の若者が、仕事を終えた午後七時に役場の会議室へ集まり、グループに分かれて紀北町を発展させる策を考え、それぞれが発表し、みんなで議論する。これを数回繰り返すことで策を完成させ、町長に提案する。町長が認めた策には町の予算が付き、若者グループがそれを実行する。こんなことを数年続けた。

町長へ提案した策に「海・山こだわり市」という取り組みがある。

リーダー研修には、農家、漁師などの自営業者、商工会の職員などが参加していた。何回か続けた頃に、役場の若手職員の研修と合同で行うことになり、やがて地域の若者と役場の若手職員が、一緒に町の将来を考えるといった雰囲気が醸成されてきた。

あるグループから、自分たちの野菜や魚には自信を持っているが、町内には他にも、面白いものをこだわって作っている人たちがいる。そんな人たちを盛り上げたい、という意見が出された。何度か話し合ううちに、それなら物産市をやろうということになった。このアイデアを昇華させた策が町長に認められ、二〇一三年八月二四日、第一回目の「海・山こだわり市」が引本港の市場で開催された。

若者たちが作った野菜、魚、アオサ、シイタケ、イチゴ、生花だけでなく、メンバーが町内で探したこだわり品も販売された。午後から数時間の開催で、広報活動も十分ではなかったが、それでも一〇〇〇人を超える来場者を集め大盛況だった。

この経験で自信をつけた彼らは、連携して新たな商品を生み出した。地域の特産品を使った串刺しの食品（彼らは棒と名付けた）を作り、こだわり市で、売り上げを競い合ったのである。題して「きほく棒対決」。食べ終わった串の数で優勝者を決め、優勝者には町内で「こだわりきほく棒」を名乗り販売する権利が与えられる。

かくして、こだわりきほく棒が、町内の店々で販売されるようになった。

紀北町を盛り上げる若手たち（左から、石倉さん、山口さん、西村さん、岩本さん、加藤さん）と「海・山こだわり市」のチラシ。

広がる地域イノベーションの裾野

彼らは近隣の市町にも殴り込みをかけ、「東紀州棒対決」まで行うようになった。東紀州とは、三重県南部の尾鷲市、熊野市、紀北町、御浜町、紀宝町の二市三町。これら地域の若者たちに声をかけて競い合うイベントは、大きな話題となった。さらに彼らは、こだわりきほく棒が、地域内のどの店で販売しているかを示すマップまで作ってしまった。

地域内で繋がった若者たちが、町を盛り上げる勢いは力強い。

コロナ禍で現在は中止されているが、「海・山こだわり市」実行委員会代表の山口剛史さん（有限会社貞丸水産）、中心メンバーの西村友一さん（アオサ養殖）、石倉至さん、岩本修さん（ともに農家）、加藤公彦さん（シイタケ栽培）をはじめ、彼らをサポートする面々は、今後もやる気満々である。

やがて、紀北町の取り組みを聞きつけた大台町、南伊勢町、紀宝町からもリーダー研修を頼まれることになった。三重県は南北に長く、県央の津市から最南端の紀宝町までは片道約一四〇km。大学の仕事を終えてから車で通うのは大変だが、元気な若者たちと会って話すのは楽しかった。

私は、各地のリーダー研修会で発見した若者たちを、地域イノベーション学会（後述）に招き、社長たちに繋いでいる。地域で孤立していた若者が、仲間を見つけ、社長たちの影響を受けて覚醒していく。

こうして、地域イノベーションの裾野は着実に広がっている。

地域が応援する高校生セミナー

三重県に戻り三重大学の教授となってから、私はある思いを抱くようになった。

それは、自分が地域のことを何も知らずして県外へ出ていったということ。県内各地の人々との交流が深まるにつれ、後悔にも似たその思いは強くなっていった。そんな折、津市センターパレスの宮武新次郎専務（当時）が私のもとを訪ねてきた。

「センターパレスにある、大きな会議ホールの活用について相談したい」とのこと。津市の施設であるセンターパレスから、主要テナントだった大手スーパーが撤退し、宮武さんはその維持に苦慮されていた。伝手を頼って三重大学のある先生を訪ねたところ、それなら西村先生に会ってみたらと言われたらしい。

津市の中心部にあるセンターパレスは、大門商店街と連結しており、かつては人であふれかえっていた。それが、閑散として久しい。

「もう一度、人々が集まる場所にしたいんです」熱く語る宮武さんに、無理かなと思いつつ言った。それなら、やってみたいことがありますと。

「私は県南部の田舎の出身で、田舎はダメだと思って出ていきました。でも、帰ってきて地域の人たちと交流すると、皆さん魅力的で面白い。私と同じように、地元はつまらないと思って子供たちは外へ出ていきます。出ていくのは一向に構いませんが、できれば地元のことをよく知ってもらってから送り出してあげたい。そうすれば経験を積んだ後、都会に残るか、田舎に帰るか、考えることができる」

このホールを使って、高校生たちに地元で活躍する経営者らの話が聞ける機会を与えたらどうだろうと提案したのだ。これが、「地域が応援する高校生セミナー」になった。

宮武さんの計らいで三重県教育委員会の協力を得ることができ、県南部の高校を中心に生徒たちを集めて二〇〇九年三月二七日、第一回目を開催した。高校生たちの反応は良く、この取り組みは三年ほど続いた。

自らのルーツである過疎地域への思い入れが強かったので、あえて津市内の高校には声をかけなかったが、話を聞きつけてきた津高校進路指導主任の土方清裕教諭から、同じことを津高校でもやってもらえないかと打診された。

高校への出張ゼミ

津高校は県内屈指の進学校で、保護者は子供の学力向上だけを学校に求めるが、それは違うと土方先生は言った。生徒たちには夢を持たせることが重要で、それには社長たちの話を聞いてもらうのが効果的だと。土方先生の考えに賛同した私は、次の年度から津高校版西村ゼミを始めた。

当初は、社長たちの話を順番に聞かせる形式だったが、何年か経ってやり方を変えた。

生徒たちに課題を与え、それをグループで考え、みんなの前で発表させる形に。その内容を基に議論するのだ。議論の中で、自分たちが見ていなかったこと、違う考え方に気づいてもらい、その気づきを元にまたグループで何週間かかけて考える。考えをまとめたものを次の回で発表し、また議論する。これを三回ほど繰り返し、出来上がったものが十分なレベルに達したら、鈴木英敬三重県知事（当時）に報告する。

　私と担当教諭が高校生に与えたテーマは、「三重県を変える方法。自分たちが二〇年後に三重県で活躍するには、どうしたらよいか」だったから。自分たちの考えを、直接知事に伝えられる。これが生徒たちの高いモチベーションになり、最終的に出来上がった提言は、どのグループのも素晴らしかった。

　津市は築城の名人といわれる戦国武将・藤堂高虎が街並みの基礎を作った。生徒たちの提案には、市民が誇りを持てるよう、津城の天守をプロジェクションマッピングで再建するアイデアがあった。津市内のインスタ映えスポットを紹介するマップを作り、観光客を集めたいという案も。内容そのものも良かったが、参加した生徒たちが翌年にも参加してくれたのが嬉しかった。

津高校での「西村ゼミ」の様子。三重観光のモデルコースをプレゼンテーションする生徒たち。

ゼミは一、二年生が対象だったが、苦心して提案を作り直しても、「こんなこと知ってる？」と私にダメ出しをされる。そのたびに彼らは発奮したようで、いつしか「西村先生をぎゃふんと言わせる」という合言葉が出来ていたようだ。二年連続で参加した生徒たちからは、「今年こそ、必ずぎゃふんと言わせます」といった抱負が聞かれ、さすがは三重県を代表する進学校の生徒たちだと頼もしく思った。

ゼミの初回には講義を行った。「社会の変化を的確にかぎ取り、地域で活躍する人たち」と社長学生たちを紹介し、その底流にある地域イノベーションの考え方を伝え、地域が持つ可能性も話している。最後には、「戦う前から諦めるな」と伝えた。戦って負けるのは良い。相手の強さが分かる。努力してまた戦う。また負けるかもしれない。それでも良い。少しでも手ごたえが得られれば、努力の正しさが確認できる。その努力を続けていけば、いつかはきっと勝つことができると。「不戦敗しないこと」これが、田舎者の私が外の世界で戦ってきた経験から伝えたい、高校生たちへの教訓だ。

土方先生から、後任の上村和弘教諭へ。さらには林仁大教諭、豊田貴之教諭と代々の進路指導部主任に引き継がれ、津高校での西村ゼミは、現在もなお継続されている。

津高校での活動が横展開し、尾鷲高校、南伊勢高校などでも同様のゼミを行っている。

土方先生はその後、津西高校を経て飯南高校の校長となられたが、赴任先の高校に私を招き、生徒たちに地域の面白さを伝える取り組みを行われている。

上村先生は、教育委員会に移ってからセンターパレスで行われていた高校生セミナーを、全県下の高校を対象とした拡大版として復活させた。

見つけて、褒めて、繋ぐ

センターパレスでの高校生セミナー、高校への出張ゼミ、紀北町など自治体と行ってきたリーダー研修。いずれでも教育のやり方は同じだ。課題について考え、それをみんなの前で話し、議論する。私の役割は、議論を円滑に進めることで、答えを教えることではない。議論の過程で、自らが気づき、行動につなげることが重要で、そのきっかけを与えることが役割である。

地域社会における「大学教授」の役割は、難しい知識を教えることではない。存在そのものに意味があるということに気がついた。高校生や田舎の若者から見れば、大学教授は遠い存在で、近寄りがたいイメージを持っているだろう。その教授が訪ねてきて、話に耳を傾け、時には褒めてもくれる。これが嬉しいのだ。その経験が自信となり、能動的な思考へと駆り立てる。

このことに気づいてからは、地域の高校、社会に出向き、頑張っている人、頑張ろうとしている人たちの良いところを見つけ、それぞれの活動、考え方を褒め、孤立している人を同じような境遇の人たちに繋ぐ。これが、大学教授の肩書きをいただいている私の、重要なミッションであると確信するようになった。

私が教育を行う上で日頃意識していることは、とてもシンプルだ。

「見つけて、褒めて、繋ぐ」それだけである。

こうして地域イノベーションの種をまいていけば、裾野はさらに広がっていくはずだ。

アホくさいより青くさく

地域イノベーション学研究科が順調に動き出し、西村ゼミも年数を重ね、多くの方々が参加する集まりとなった頃、浜田さん（マスヤグループ本社）、松浦さん（万協製薬）の発案で、より多くの人たちを巻き込んだ、学び合いの場を作ろうということになった。

それが二〇一一年七月、「地域イノベーション学会」という形になった。

学会の名は付いているものの学者の集まりではなく、地域で活動する人々が互いに切磋琢磨する場である。鈴木英敬三重県知事（当時）と内田淳正三重大学学長（当時）には、発起人となっていただいた。

私が会長となり、浜田さんには理事長を務めていただいている。学会には地域企業の経営者、県庁、市役所の職員、農家、漁師、大学教授、高校教師、大学生、高校生など多種多様な人たちが参加し、春に合宿、年末には大会を行っている。最近は、会長勉強会として西村ゼミも実施している。

浜田さんの提案で、地域イノベーション学会は裃《かみしも》を脱いで議論する場であると定義した。立場の違う人たちが議論し、それを通して気づいたことを自らの場で実践する。その結果を次の学会で紹介し、また議論する。これを繰り返し、互いに切磋琢磨することで、地域

三重大学の枠を越えた「地域イノベーション学会（西村会長勉強会）」。コロナ禍によりリモート開催となっているが、この日は伊勢角屋麦酒の社長室に3人が集まった。左から、二軒茶屋餅角屋本店の鈴木さん、筆者、マスヤグループ本社の浜田さん。

地域イノベーションの歩み

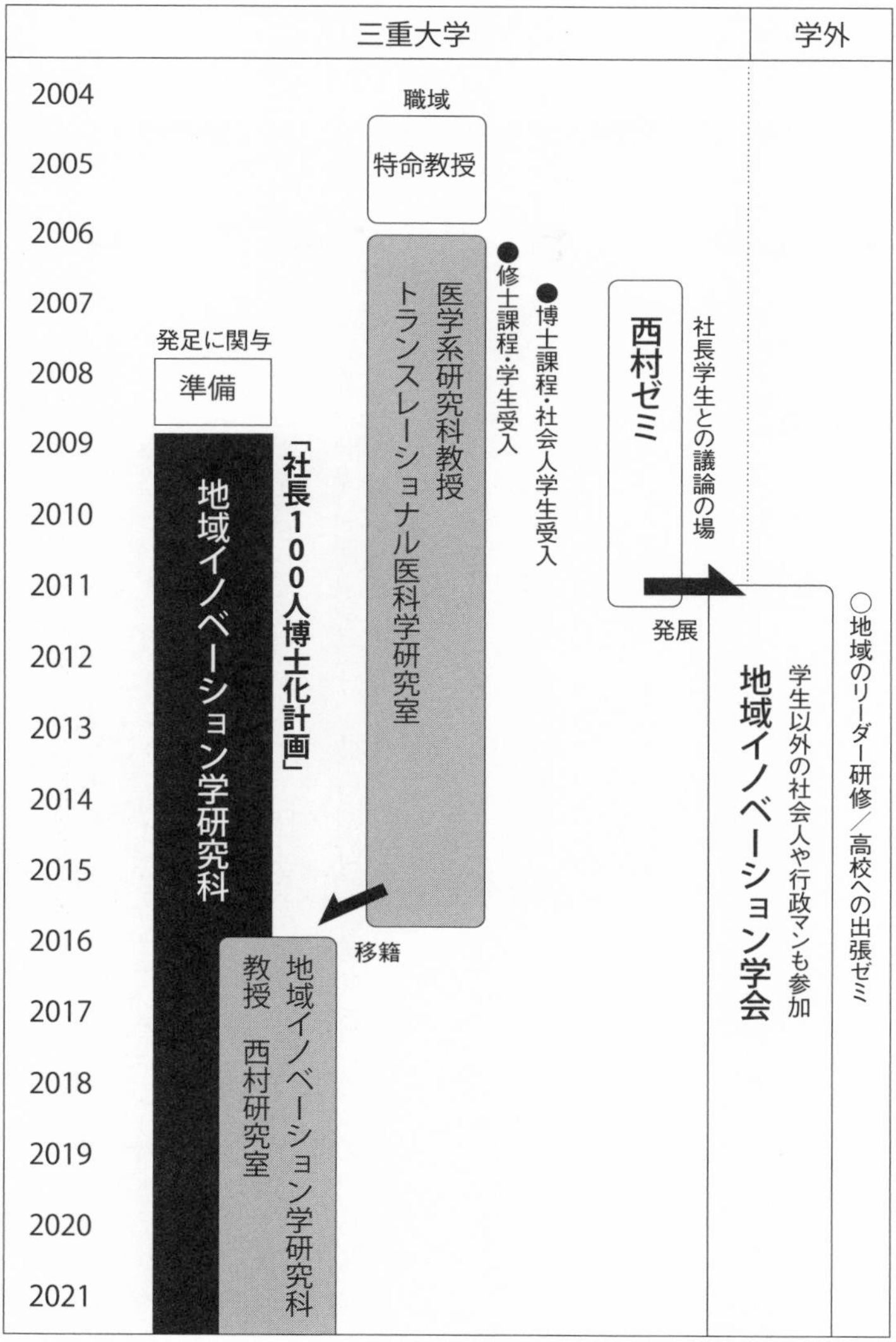

社会を高めていくことを目指す。これが浜田さんの思いだ。

松浦さんは、夢を語ることを「アホくさい」と切り捨てるような、業界団体が行う形式的な勉強の場ではなく、いい大人たちが「青くさく」語り合う場にしたいとの姿勢である。「アホくさいより青くさい」が彼の信条だ。

地域イノベーション学会の場を通して、浜田さん、松浦さんなど前を行く世代から、浅井さん、小田島さんなど次の世代が刺激を受け、彼らの行動に触発された次の世代が、自らの行動につなげる。こういった理想的な循環が起こっている。

役割は品質管理

地域イノベーション学会での私の役割は、いわば品質管理だ。

社長をはじめ、地域を生き抜いている人たちには、強い芯のようなものがある。ただし、それが本人には見えていないことがある。とかく人前で話すと、当たり障りのない話になりがちで、なかなか自分の本当の姿をさらそうとはしない。

その人が生き抜いていることには確かな意味があり、強さの秘密があるはず。それを明瞭に自覚することが、さらなる高みに上るための重要な足場となる。一方で、不得意なことを曖昧にして進む（先送りする）と、必ず失敗につながる。だから、徹底した議論で芯の部分（本質）をえぐり出すのだ。

出来なかったこと、苦労していることも含めて、正直な姿をさらしてもらう。泥沼でもがいていても前には進めないし、粘土で作った階段を上ることはできない。足場を一歩一歩固めてこそ、次に進むことができる。

人はみな厳しい社会を生き抜いており、その方法はそれぞれ異なる。その違いが自身の強味であり、個性と言われるものだ。個性を遺憾なく発揮できるようになれば、その人には社会での明確な役割が与えられる。私はそのように考える。

議論を通して、それぞれの人たちの本質を明瞭に自認してもらうのが地域イノベーション学会における私の役割であり、当人が腹に落ちるまで、議論に妥協はしない。これが品質管理者たる所以《ゆえん》である。

変容する高校生

地域イノベーションを切り口に、世代・業界・立場を超えた連携の形が生まれ、具体的な活動へとつながってきてもいる。

例えば、学会に参加した高校教師からは、教育への協力依頼が社長たちにもたらされ、浜田さん、松浦さん、鈴木さん、浅井さん、小田島さんは、率先して地域の高校に出向き、自らの活動を生徒たちに語っている。身近な地域の成功者たちの肉声を聞くことは、高校生にはとても有意義で、彼らが将来の進路を決める際の重要な判断材料になる。

地域で活躍する人たちに感化された高校生たちは、おそらく高校を出ると同時に外へ飛び出す。それでいいと思う。私もそうだった。ただし、将来力をつけたときには、かつて見た社長のようになりたいと地元に戻ってくる。そう予感している。

私自身もいくつかの高校で毎年話をしている。「西村ゼミ」を行い、高校生たちに地域で生きることについて考えさせる取り組みを、かれこれ一〇年以上続けているが、高校生たちが変容していく姿を見るのは嬉しい。

彼らは、ときに突拍子もない質問もする。南伊勢高校の生徒から「先生の年収はいくらですか」真っすぐな質問を受けた。同郷の先輩である私を身近に感じ、これから面白い時代がやってくると語る本人はどうなのか、気になったのだろう。どう答えたか？　夢を抱かせるような金額を伝え、地元でもやり方しだいで稼げるぞと伝えた。彼ら、彼女たちの本心は地元に残りたいのだ。でも残るための仕事がないことも知っている。この現実を変える可能性を私から感じ取ったので、二〇年間地元を離れ、外を経験して戻った私のリアルな生活が知りたかったのだろう。

「浪人生が増えたんですよ」西村ゼミを始めて数年後に、津高校の担当教諭から聞かされた。私のゼミに限らず、同校ではキャリア教育に力を入れ、自らの意思で進学校を選ぶことを進めている。偏差値と相談して入れる大学を選ぶのではなく、学びたいことがある大学に進学したい。そう考える生徒が志望校を変えなくなったため、結果として浪人生が増えたそうだ。親御さんには心苦しいが、津高の先生たちはその傾向を喜んでいるようだった。浪人した生徒たちのほとんどが、翌年には志望校に合格しているとのことだ。

西村ゼミの担当教諭は、医学部志望の生徒たちを伊勢湾の離島に連れていき、現地の診療所で医療を行う医師との交流もさせている。厳しい現実を見た後でも医学部を志望した生徒たちには覚悟ができたそうだ。津市内にある私立高校が、例年この地域では三重大学医学部への合格者数が最も多いが、津高が一番になった年があったという。その理由は定かではないが、ゼミや離島医療の視察など、先生たちが行った取り組みが変容をもたらしたのではないかと思う。

地域社会をけん引する人たちが自らを律し、責任をもって時代を生き抜く。その背中を見て、こうありたいと次の世代が自らを鍛え、成長する。これが、持続可能な地域社会のあるべき姿であり、地域イノベーション学会の活動を通して、私たちが目指している姿だ。

自らの意思で行動する人たちが繋がり、地域内でのコミュニティを創る。地域をけん引するリーダーとしての自覚が足りない行動をとった時には、自らがそれを恥じるような雰囲気をコミュニティの中で共有する。そうやって切磋琢磨しながら、私たちは自立した小国家のような力強い地域を築くことを目指している。

あるべき姿は江戸時代に

本書で紹介した社長たちの多くは、伊勢市付近で活動している。神宮を擁する伊勢は、二千年の歴史を持つ特別な地域だ。社長たちとの取り組みの延長上には、このことが何か意味を持つように感じている。それについて少し触れることで、本書を閉じたいと思う。

江戸時代の日本社会は、徳川幕府の直轄地以外にも三〇〇近い藩が存在し、それぞれが徳川幕府に忠誠を示す一方で、独立国家のように経済活動、教育などを行っていた。言い換えれば、三〇〇の経済的に独立した小国を、徳川幕府が取りまとめる連邦制国家だったとも考えられる。

本来の日本の姿は、江戸時代にその原型があると私は考えている。徳川家康が戦国時代を平定し、後裔が安定した社会を二六〇年間維持した。最初の一〇〇年くらいで土地の開墾が進むと、農地と人口が増える成長期を迎えたが、その後は定常状態で推移し、江戸時代を通して各地方の人口割合はほぼ一定であったとされている。各藩ごとに経済や教育などは自立した運営がなされており、その結果、地域の特徴を生かした産業が生まれ、発展し、現在の日本各地の基盤となっている。

このように地域がその特徴を生かし、深め、産業と文化を築いていた江戸時代の姿が、日本という国の成り立ち方であり、これからの日本は、本来の姿を目指すべきであると思う。

江戸末期の日本は鎖国政策の影響もあり、国力と言える経済規模は、米国、英国のそれぞれ三分の一、四分の一と大きく遅れを取っていた。これに気づいた新政府が、欧米諸国の脅威に対抗するべく近代化を図ったのが、明治維新以降一〇〇年間の日本の姿だったと私は見ている。

つまり、この時期の日本は、非常事態宣言を出して鎖国の遅れを挽回した特別な時期だったと見なせるわけだ。そういった視点に立つと、明治維新以降に慌てて欧米諸国に追いついた日本に今必要なことは、新たな国家像を創ることであり、そのヒントは江戸時代の姿にあると思うのだ。

小文字のイノベーションを連鎖させる

明治維新以降、日本政府は中央集権により近代化を推進し、第二次世界大戦終了後の高度経済成長で、江戸時代の鎖国で負った欧米諸国への遅れを一〇〇年かけて挽回した。その一方で、高度経済成長期の成功モデルであった手法は、二十一世紀に入って制度疲労を起こしている。高度成長の原動力となった田舎から都市への人口移動は、先進諸国の仲間入りをした後も惰性のように続いており、都市と地方の格差を拡大している。

中央集権で牽引する手法は、先進国に追いつこうとする二〇世紀の日本には適していたが、近代化を達成し、先進国となった二十一世紀には適していないのではないか？　この手法では、現代の日本人は幸福になれない。

「二十一世紀に適した社会システム」と、「先進国となった日本に適応した生き方」の創造。即ち「二十一世紀への適応と、そのための変革」が、今まさに求められていると思う。

地域内での創造的破壊を伴う新結合こそが、富を生み出し、新しい時代に適応した地域社会を創れる。過疎化が進み、衰退したと見なされる地域でも、力強く活躍する人たちがいる。「日本の再生」は、「二〇世紀の経済成長に伴って衰退した地域」から始まる気がしてならない。地域イノベーションの連鎖反応をきっかけとして。

一〇〇年以上前、「イノベーション」という言葉を最初に提言した経済学者のヨーゼフ・アイロス・シュンペーター（オーストリア・ハンガリー帝国／後のチェコ生まれ）は、「イノベーションは群生して起こる」と述べている。

「社長１００人博士化計画」は、まさしくそのような状態になってきている。

浜田さんに触発された鈴木さんが動き出し、浅井さんの挑戦に刺激された小田島さんが、より高いステージの取り組みを開始する。そんな連鎖が伊勢の近辺で起こっている。

博士号を取った社長たちと私は、次世代の社長たちと共に考え、議論する活動を「地域イノベーション学会」で行っている。社長たちは地元の高校に出向き、自らの活動を生徒たちに語り、夢を抱かせる活動も行っている。こういった地域の中で、人びとが切磋琢磨しながら成長していく。まさしく、江戸時代の藩校のような活動になってきているのだ。

地域企業の社長１００人が博士号を持つ。これが地域社会、さらには日本社会を大きく変える原動力にきっとなるはずだ。

イノベーションというと、いわゆるＧＡＦＡ（Google,Apple,Facebook,Amazon）のような世界規模の欧米系ＩＴ企業を目指すように思われる方がいるだろうが、私たちの立ち位置は違う。小さいかもしれないが、確実に成長するイノベーションを地域の中で起こし、それを連鎖させることで地域社会から日本を変えたいと真剣に考えている。

ＧＡＦＡが「大文字のイノベーション」とすれば、さしずめ「小文字のイノベーション」（浜田さんのネーミング）と言えるだろう。

地域内で創造的破壊を行い、もの・ひと・ことを組み直し、新たな結合を生み出すことで、どんなに疲弊した場所からでも新たな富を生み出すことができる。この考え方に基づいて、私はこれまで活動してきた。その集大成である、地域企業の経営者を博士にする取り組みが、どのように地域社会を変えていったのか、また、変えていく可能性があるのか。本書を読んで理解していただけたら本望だ。

私は密かな野望も持っている。それは伊勢国独立だ。そのお話は、またの機会に。

（了）

てい談

地域の潜在能力をいかにして引き出すか

地域イノベーション学研究科を発案した著者と第一期生として入学し、博士論文を自らの会社経営に生かす（株）マスヤグループ本社の浜田吉司さん。
地域を牽引するお二人に
本書の編集発行人がインタビュー。
地域イノベーション学会の熱気が伝わる誌上ゼミ。

撮影／森井一鷹　協力／オランジェ五十鈴川テラス

吉川　三重県は２００８年頃の１８７万人をピークに人口が減り続け、今や１７６万人を切ろうとしています。全国でもよく似た状況だと思いますが、特に伊勢市以南の落ち込みが著しい。コロナ禍でなくとも、経営環境は厳しくなる一方で、従来のように家業を継いでは食べていけなくなっています。

　そこで、地域再生の方策としてイノベーションという考え方が生まれてくるわけですが、わかりやすく定義していただけますか。

イノベーションって何ですか

西村　もともとシュンペーターが造った言葉ですが、直訳すると新結合。彼の著書では「創造的破壊を伴う新結合により富を創造する手法」となってる。

　時代の流れでダメになった旧来のやり方を、いったん前向きに破壊した上で、使えそうなもの、コアになるものと、新しく社会に出てきたものをくっつければ成長が始まるという考え方。新しい技術、売り方、人の配置…なんでもいいんです。それらが掛け算になって、コアを膨らませていく。

　地域イノベーション学研究科の創設時点（２００９年４月）では、そこまで考えていなかった。この言葉を出したのは他の先生で、僕は産業連携大学院といった名前を考えてたし、定義も今とは違うものだった。

浜田　覚えてますよ。成長の限界に達した産業経済の成長阻害要因を取り除いて、さらなる成長へと導く…、そんな感じでしたね。

西村　浜田さんたちとの交流が始まり、学生たちとキャベツ・プロジェクトなんかをやっていくうちに、イノベーションは「組み直し」だと思うようになりました。

それまでは、ないものをどこかから持ってくるという考え方が主流で、例えば工場を誘致して雇用を生むといったことが行われてきたけど、大抵ダメになった。

荒れ地を畑に変え、キャベツを作り、地元のスーパーへ売ったら、米の3倍以上の収益になった。いったん立ち止まって、潜在意識を創造的に破壊する。古い新しいに拘らず、いいと思われる組み合わせをやってみる。これがイノベーションです。

吉川　一般的には革新、と捉えられてますが、まずは元からあるものを破壊することから始まるんですね。それを実践で確認したってことですか。

西村　いや。始めた頃は、イノベーションって言葉もシュンペーターも知らなかったんです。技術革新という訳語を、経産省が使ったから、それが一般化してた。

僕はあんまり本読まないんです。勉強もしない。やってみて考える。結果的に、僕たちがやってた事象は、整理してみたら、シュンペーターが言ったことを再現してた。だからシュンペーターってえらいなって。

浜田　実業をやってる立場でイノベーションという言葉を捉えると、「低活用の社会資源を見つけて、その活用の仕方を変えてみること」。

それまで常識だった考え方のもとで使われてきた社会資源は、社会構造にがっちり組み込まれてしまっている。はっきり言うと惰性かもしれない。それを要素分解し、別の要素と新結合させて新しい価値を生むってことじゃないかな。

地域イノベーション学研究科の歩み

吉川　創設から10年以上経った地域イノベー

ション学研究科の歩みを振り返っていただけますか。

西村　それまで1、2度しか会ったことのない学長に、たまたま学内でお会いし、「新しい大学院を作りたいんだけど、何かいい構想はない」と投げかけられたので、自分なりの考えを提案しただけ。実践の中で学生を揉みながら育てなければ、使える知識にはならないし、いい研究はできないと思ったので、産学連携でやるべきと。

吉川　国立大学といえども、法人として自活して行かねばならなくなった頃ですよね。閉じたアカデミズムの世界で、ベンチャー企業の経営者だった西村さんは異端です。そういう人の意見を取り込まないと変われないなと思ったのでは。

浜田　最初に西村先生とお会いしたのは豊田先生の学長室でした。新しく社会人向けの大学院を作るというので、当時、三重県商工会議所青年部（ＹＥＧ）会長だった私が、何人かと訪ねたんです。

吉川　その時、西村さんはどんな話をされたんですか。

浜田　新しい大学院の構想を説明されましたが、わがこととは思わずに聞いてました。でも、面白そうだなとは思った。

　ＹＥＧは、地域を支える経済人としての使命に気づかせてくれました。でも、年齢制限があり活動は45歳まで。卒業を控えていた私は、引き続き地域のために何かしたいという気持ちがあったので、設置決定後の二度目にお会いした時、入れてもらおうと。入学試験があると聞いたのは、その後でしたけど。（笑）

西村　地域イノベーション学研究科としては浜田さんたちが1期生。この科が立ち上がる前、医学系研究科の私の研究室に万協製薬の

松浦さんほか7人の社長が入ってきました。彼らを0期生と呼んでいます

地域の社長が変われば地域は変わる。医学系の社長と関わって確信してたので、理系にニーズがあるんなら、文系の社長にも博士になってもらえば面白いなと。そこから「社長１００人博士化計画」を思いつきました。

浜田　じゃあ第0期から着想を得た？

西村　そうですね。実は、地方大学には博士課程をつくらせない、が文科省の方針だったんです。三重大学も僕も、それを知らずに申請したら通っちゃった。

文系にも対応する体制に

吉川　研究室ではどんなことを。

浜田　私は経済学部卒ですが、当時の研究科は理系一色。理系の先生方と相談して研究テーマを考えたり、実験室で白衣着てフラスコ振ってみたり。あれ、なんか違うぞ、文理融合じゃなかったっけ。最初の一年くらいは、正直身の置き場に困りました。

西村先生に相談したら、「これまで人生でやってきたことを、論文を書くという行為を通してとことん掘り下げ、整理して次のステップにつなげてください」と言われたので、それならライフワークの経営学系で取り組もう、学位なんか取れなくてもいいやと。そこから本当の研究が始まりました。

学術論文の書き方をみっちり教わり、経営学系の学会に所属して論文を投稿。査読が通って学会誌に掲載されたのが3年目の２０１２年です。そこでちょっと達成感を覚えてしまい、少し大学院から気持ちが離れたのですが、そんな時、また西村先生から「浜田さん、そろそろ博士論文書いちゃいましょうよ」と尻

を叩かれて。

人文学部の青木雅生教授を紹介いただき、毎月一回先生の研究室で指導を受け、週末は自宅で執筆。一年がかりで150ページ、12万字を書き切りました。学位審査に通ったのは2015年。期限である6年目の年度終わりでした。

西村　創設当初、僕は医学系研究科の所属だったから、側面から支援してたんです。医学部から切り離したゼミで、地域イノベの課外授業みたいなことをやってた。これが西村ゼミの始まり。

でも地域イノベ担当の顔ぶれは理系ばかりで、このまま進んだら、普通の（社会人でない）学生たちに学位を取らせる、従来の大学院と変わらなくなると危惧されたので、本来の形に立て直そうと地域イノベへ移ったんです。

医学部教授から他へ移るなんて普通あり得ないんですが。配置転換の制度がないので、地域イノベ教授の公募に応募してポジションを得た。当時は副学長でもあったので、本当にやれるのか、なんて声もありましたよ。

吉川　浜田さんの博士論文のテーマは。それを書いたことで、本業はどう変わりましたか。

浜田　タイトルは「同族経営から同志経営へ」。うちは11代続く商家（本家は赤福）ですが、同族経営の良い点と悪い点を明らかにした上で、その特徴を活かしつつ経営を近代化させることで、会社がどう変わっていくかという内容。事業で実践してきたことの理論化です。

論文にまとめたことで、考えてきたことが整理され、迷いが無くなり、自信をもって仕事に取り組めるようになりました。

その後のマスヤグループに起こった変化は、社外から共感して参画してくれる経営人財が何人も現われ、社内からも経営を担える幹部が何人も生まれたこと。オーナー以外に経営のできる人などいないし外からも来てくれない、が地方の中小企業の常識ですから、10社に10人の「社長」がいる今の陣容は奇跡みたいなものです。

　論文を書き切ったことは、私の経営者人生において大きな意味がありました。

吉川　まさに実践されているわけですから、机上の空論ではない。

西村　僕は大学院をこういうふうにしたかったんです。それを体現してくれた。浜田さんがいなかったら研究科は崩壊してたかも。

吉川　浜田さんは、西村さんとともに地域イノベをここまで育てられた功労者ですね。

西村　理系は、決めたテーマを元にしてデータ出してまとめれば、比較的容易に学位を取れますが、文系はすごく手間がかかる。

浜田　私の場合、自分の会社を一つの実験場として、こういうことをやったら会社がこう変わったとまとめるわけだから、結果が出るまでにすごく時間がかかりました。

西村　1期生には迷惑かけましたが、今の社長学生には手厚くしてますよ。研究テーマの立て方から作り込みまで、文系を含め社会人向けの体制が充実してます。

　来週（てい談収録時点で）大学院の入試ですが、修士課程で20人以上の応募があるんです。推薦で7～8人受かってるので、残る枠は7人くらいだから競争率は3倍。今まではかき集めてたのに。

吉川　これまでの取り組みが浸透してきたってことですか。

浜田　世の中の歩調と噛み合ってきたんでしょう。

西村　僕の教育を受けたいと、毎週のように電話もらったことも。

吉川　西村さんの名が売れた？

浜田　もちろんそれもある。西村先生の活動は大学の枠に留まっていないから。

見つけて、褒めて、繋ぐとは

吉川　鈴木英敬知事（当時）に発起人になってもらって地域イノベーション学会なるものも立ち上げてますよね。

西村　大学院を卒業した浜田さんたちが、もっと勉強を続ける場が欲しいと作られた。医学部時代の西村ゼミからの発展形です。

浜田　ちっとも学会らしくありません。一番の醍醐味は、定例ゼミでの会員のプレゼンとフリーディスカッション。ファシリテーターの西村先生が、プレゼンターをズバッと斬り、心に火を点ける。私はそれを〝西村節〟と呼んでいます。キーワードは「見つけて、褒めて、繋ぐ」ですよね。

西村　僕はもとから教育者じゃないし、大学院も出ていない。医学部教授になるまでゼミも講義もやったことがない。全部我流です。

吉川　見つけて、というのは、いいところを見つけるわけですか。

西村　面白いことをやってる人と、その人のいいところの二つ。褒めるは、ダイレクトに褒めるんじゃなくて、叩きのめして褒める。

吉川　それって、どういうことですか。

西村　表面を褒めると、勘違いするでしょ。その人の本質的な良さは、本人が気がついてないことも多い。表面を削ぎ落としていって、鎧みたいに体裁繕ってるやつを全部剥がすと、真の姿が見えてくる。

　真（芯）がちゃんとしてるのに、なんでそれを使わないんだと言ってから褒めるわけです。それがあなたの一番いいところだと。

浜田　だから効くんですよ。

西村　僕の役割は品質管理。みんなは僕のことを、何でも知ってるように思ってるけど、それは違う。会話の中から、その人を理解するんです。ぼんやりしてたり、違和感を覚えさせるような説明だったら、本人が理解しきれてない証拠。ちゃんと硬い地面を踏んでない。泥を取り除いて、本当の足場を見つけて立ってもらう。

吉川　カウンセラーに近いかも。自分が何者かわからなくなった人に、アイデンティティを見つけ出してあげてる。

浜田　教育者としての才能が発揮されてます。

西村　教授って意外と天職だったのかもね。

吉川　本来理系の人だから。文系の人間は、どうしても感情移入しがち。これだけ努力したんだから認めてあげたい、とか。

西村　僕らは階段を上るようにして上がるんです。一段ずつ足場を固めて。足場となるのが、データに基づく一個の論文。これがフニャッとしてたら、どこかで落っこちる。

　学生が提案を持ってきた時、僕はきちんと硬さを持ってるのか確認するだけ。答えは本人が見つけ出すべきもの。それがレンガなのか粘土なのかを見極める。本人とのやり取りで、叩いて叩いてレンガだってことを確認し、この硬さなら大丈夫と品質保証してる。

浜田　そんなふうに品質保証してもらえると、頑張って上へ行こうという励みになる。

西村　だからディスカッションで、どんな人でも徹底的に「斬る」わけです。

浜田　斬られちゃって、こなくなる人もいますよね。

西村　それは、います。

吉川　社長と呼ばれるような人は、普段ガツンと頭打たれることないから。そうやって仕上げた人たちを、繋ぐわけですね。

地域を良くする解像度を上げよう

浜田　地方創生と言われますが、「地域を良くする」って何か漠然としてる。そこの〝解像度〟をもっと上げたいと思うんです。

例えば、地域を「良くしていこう」ではなく「イノベーションを群発させよう」って言うと、ちょっと上がるわけ。もっと解像度が高いのは、ずばり年収。「この地域に年収600万、あるいは1000万の仕事を増やそう。こうすればできる」って示せたら、それが一番解像度が高い状態。

西村　私は、南伊勢町で年収620万を目指すプランを考えた。全国の世帯平均年収がそのくらいだったので、これが南伊勢町で実現すれば、日本のどこにでも住めると思って。

学生たちとキャベツ栽培を試みたのもそれ。キャベツだけでは無理だけど柚子も植えた。ニンニクやネギも。1年1800時間の労働時間と1haの土地で、ポートフォリオを組むように足し算していくんです。

吉川　キャベツでは100万だけど、○○で100万、○○で200万というふうに積み上げて、トータルで620万を目指すと。

西村　できるんですよ。どんな田舎でも。地域にあるものをうまく組み換えてやれば。

浜田　その先に1000万コースも必要。稼ぐ経営者を生むことが。うちのグループにいる10人の経営者には、堂々と1000万稼げよと言ってる。そうすれば社員の給料も上げられるから。それが経営者の仕事だと。

西村　地域イノベーション学を進めていく上で、浜田さんのような豪族が現れてきた。地域に止まらず、世界レベルで戦える人が。

みんなが600万稼ぐようになれば、住み続けられるけど、それを束ねる人が要る。これが社長。その上には社長を束ねる戦国武将みたいな人が必要で、そんな人たちが群雄割拠して地域に取り組めば、伊勢国独立だって夢じゃない。経済的に自立しようっていう意識を、独立国レベルまで持っていかないと、どこかで甘えが出てくる。

田舎のほうが再設計しやすい

浜田　人口が減ったら経済はダメになると思いがちですが、分母が減るんだから、生産性と年収を上げる上では有利とも言える。

西村　手作業だった昔は、家族で耕せる農地は1haが限界。機械を使えば20haだって耕せる。人が減って、1人が多くの土地を使えるようになれば、米作りでも年収1000万は可能なんです。でも、それだと150軒が20軒になっちゃう。そこまでは減らせないから、米の3倍の収益が上がる作物なら60軒になる。もっと上がれば…。

　持っている資源の生産性を上げて分母を抑えれば、田舎の方が再設計しやすいんです。

吉川　コロナ禍で、東京から地方へ移る人が増えてますが、土地や生活費の安い田舎なら、都会の3分の1の年収でも、豊かな自然の中で暮らせるという考え方もありますよね。

西村　田舎だから年収が低くていいという考え方だと、下がっていくだけ。

　都落ちの人たちがいくら集まったところで、その集落がよくなるとは思えない。日本中どこでも戦える人が、本気でここに居たいと思って住んだ時に、町の力になる。もともとそういう人がいたんです。だから集落が何百年と維持されてきた。

浜田　東京に人が引っ張られる仕組みを、逆流させることはできるはず。世帯年収６００万を実現するにはどうしたら。という課題に向けて、地域資源を生かして、居る人の力で何ができるか。ってことをやっていくと面白い未来が描けるのでは。

西村　楽に住むなら都会、勝負するんなら田舎という価値観が生まれてくるかも。

　三重に帰ってきて思ったのは、独壇場でなんでもできるなと。三重大ではやりたいことができた。東大じゃあできない。何もないから全部自分で作んないといけないけど、力のある人にとっては面白いフィールドです。

自分イノベーションしよう

吉川　最後に、お二人の個人的なイノベーションを聞かせてください。

浜田　学位を取った後、次は腹筋を割ろうと思ったんです。トレーナーについて筋トレを始め、妻に笑われながら最近はボクシングのまねごとも。もう6年目になります。

　お腹はだいぶ凹みましたが、まだ腹筋を割るまでには。でもずいぶん健康になりましたよ。それまでの自分とかけ離れたことへの挑戦こそ、自分イノベーション。

吉川　すごく意外ですね。

西村　本を書いたのがイノベーションですね。今までやってきたことを、一回バラいて組み直してみた。これでいったん0にして、新しい結合を探ります。

　あとゴルフにハマってる。スコアを求めるんじゃなくて、自分の体をどう使い切るか。分析しながらスイングを一つ一つ積み上げてる。今頭ん中の8割はゴルフ。

　僕は難しい問題を解きたいんですよ。困難

に立ち向かいたい。頼まれごとを基本的に断らないのもそう。マゾっけがあるんかな。

吉川　私も同じです。編集なんて仕事は、苦境をあえて作り出してるようなもんですから。

浜田　最近読んだ本に書いてありました。イノベーションを生物学的に見ると、「これは無理だ」と思う課題や計画を成し遂げたいという気持ち。だから、それを成し遂げた人は満足して死ねると。

　人生かけて取り組もうって時は、生命体として燃えるじゃないですか。それがイノベーションの原動力になる気がする。

西村　環境に適応しないと生物は生き残れないんで。困難が訪れた時に力が発現されるのは、生物としての本能かもしれないですね。

　でも僕、挑戦って嫌いなんです。大それた目標に向かって一直線といった発想はなくて、身近な問題をいかに解くかってことの積み重ねが性に合ってる。修行僧が俯いて山を登ってるうちに、ふと周りを見渡したら、すごくいい景色が広がっていたという感じ。

吉川　企業経営や地域づくりと同じように、自身もそろそろ硬直化してきたなと思ったら、いっぺんやり方を創造的に破壊して、新結合を図ることが必要ですね。

（おわり）

はまだ・よしじ　1963年伊勢市生まれ。慶應義塾大学経済学部卒業後、大手証券会社を経て94年、(株)マスヤ代表取締役に。2001年より(株)マスヤグループ本社代表取締役。09年、三重大学地域イノベーション学研究科に第1期生として入学。ファミリービジネスの長寿性に関する研究で学位(博士)取得。地域イノベーション学会理事長。三重大学客員教授。

よしかわ・かずゆき　1961年伊勢市生まれ。愛知大学法経学部卒業後、印刷会社のコピーライター、ローカル誌出版社を経て96年、フリー編集者「企画室KAZU」として独立。2000年に季刊ローカル誌NAGIを創刊し、屋号を月兎舎に改称。本書の編集・発行を担当。出身の宇治山田高校では西村さんの3年先輩。

あとがき

本書は教科書でもビジネス書でもない。あえて言うなら哲学書？　記された内容は、地域イノベーションの必要性について話す講演内容を基にしている。

三重大学の教授になり、地域イノベーションについて考え、実践するようになってからずっと同様の講演を行っている。話の骨格は同じだが、新しく行ったことを少しずつ加え、考え続けることで昇華させているつもりだ。一〇年以上、同じテーマで何度も見直しながら話をすると、考えがある高みに達する。

そんな気持ちになったころ、地域イノベーション学会理事長の浜田吉司さん、事務局長の山路栄一さんから本書執筆のきっかけをいただいた。学会設立一〇年の節目に、記念の本を発行しましょうとのお誘いだった。自身の来し方を振り返った上で創造的に破壊し、もう一度0から組み直す良い機会だと思って書かせてもらうことにした。

一〇周年記念誌といった当初の目的とは若干ずれたようにも思うが、コロナ禍で対面での講演がままならない中、私の考えや私たちのやってきた取り組みが多くの方々に伝わるツールになると思う。

本書が、読者の皆さんのこれまでのやり方、考えから自らを解き放ち、新しい自分を作るヒントとなれば幸いだ。

本書は、お二人をはじめ、本書で紹介した社長たちを含む学会の仲間たちのおかげで世に出すことができた。中途半端な熟度の書物を残すことに躊躇していた私に、腹をくくらせてくれた月兎舎の吉川和之さんには感謝の念しかない。

二〇二一年初冬　西村訓弘

原発の断りかた

ぼくの芦浜闘争記

柴原洋一

こんなことが、なんで許されるんや！芦浜原子力発電所計画を阻止した37年に及ぶ壮絶な闘いと人間ドラマ。人々は、いかにして命の海を守ったか。

四六判・２２０頁
定価１６５０円

松浦武四郎入門

幕末の探検家

山本　命

三重県松阪市に生まれ、諸国を旅して多数の書物を出版。アイヌ文化を広め〝北海道の名付け親〟と慕われる男の、愛と冒険に満ちた生涯。

A５判・１４４頁
定価１１００円

熊野修験

写真集

森　武史

那智四十八滝・大峯奥駈・葛城二十八宿。山伏とともに峰を駈け、渓に入り、岩に登って捉えた熊野の自然と修験者。熊野修験再興33周年記念。

B５判・１４０頁
定価２７５０円

祭時記

写真集

北出正之

海へ、山へ、町へ、農村へ。撮影した祭事５００以上。三重の豊かな風土を伝える民俗アーカイブス。自然への祈りは、かくも大らかで、敬虔で、美しい。

B５判・１６０頁
定価２７５０円

西村訓弘 にしむら・のりひろ

1965年、南伊勢町東宮生まれ。筑波大学第二学群農林学類卒業後、（株）神戸製鋼所入社。生物研究所の研究員となり学術論文を多数発表。95年、たんぱく質合成技術に関する論文で筑波大学から博士号授与（農学）。渡米、米国企業の研究員を経て2000年、（株）ジェネティックラボ創業メンバーに。同社代表取締役を務めた後退社。04年、三重大学医学部の特命教授（非常勤）となりバイオメディカル創業プログラムを開始。06年、三重大学医学系研究科教授に就任、地域イノベーション学研究科の創設に関わる。16年より同科教授。20年より宇都宮大学教授兼任。「見つけて、褒めて、繋ぐ」をキーワードに、自治体、高校など大学の枠を越えて地域イノベーション活動を展開中。

社長100人博士化計画

2021年12月10日発行

著　者　西村訓弘

発行者　吉川和之

発行所　月兎舎《げっとしゃ》

〒516-0002　三重県伊勢市馬瀬町638-3

TEL.0596-35-0556　FAX.0596-35-0566

URL　https://www.i-nagi.com

印刷所　（株）シナノ

ISBN978-4-907208-21-9 C0030